岡本太郎

日本的傳統

JAPANESE TRADITION

TARŌ OKAMOTO

曹逸冰 譯

行人文化實驗室
Flâneur Culture Lab

序

近年來，世道逐漸陷入一種莫名的平靜。人們不是在與新事物的碰撞中不斷前進，反而缺乏朝氣，彷彿一切都在後退。在時代潮流的影響下，大家好像越發關注起古舊的文化來。

然而，這不一定是好事。因為這意味著時代在倒退，沿著不會孕育出任何新知、毫無意義的軌道接連後撤。但我們絕對不能退回那個陰暗、潮濕的日本。

越是這種時刻，越要擺正對待傳統的態度和思考。

這是我們的當務之急。當然，新藝術的問題也與傳統密切相關。

在前一本著作《今日的藝術》（今日の芸術）的最後一章，我提到了錯誤的日本主義與傳統主義，擱筆之前，還特意強調傳統應當由活在當下的我們重新創造。在本書中，我將進一步論述這一觀點。

重新審視傳統是我寫作本書的初衷。

人世間沒有比似是而非更「非」的東西，傳統主義對傳統的誤讀同樣無人能及。打著歷史的旗號侮辱現實，是最反傳統也最卑鄙無恥的行為。對這種風氣的憤怒，驅使我提筆寫作。希望大家像讀《今日的藝術》一樣，懷著滿腔嚴謹與激情，正面對抗這種「傳統論」。

當然，還有很多和日本傳統有關的重要問題需要我們關注。人們隨意翻過的歷史書頁中，還有許許多多有價值的東西遭到埋沒，無法呼吸。只有從新的角度去發現，才能使它們煥發生機。

我們應該從更全面的角度展望、重組它們，讓它們在新鮮的體系中釋放光彩。這項工作需要我利用作畫和對抗生活的間隙完成。對我來說，要做的事情都面臨同樣的問題，每一件都不能拖延。體系化是今後必將面臨的重要課題。我願藉此機會提出疑問，將它掀起的波瀾擺在自己和他人面前。

我希望把本書打造成重新發現古代遺產價值，贏得新時代的武器。

為了更加明確地佐證我的觀點，並一以貫之，書中的土器、銅器和庭園照片都選自本人拍攝的作品。

感謝東京國立博物館、國分寺町文化遺產保存館、明治大學考古學陳列館、東京大學人類學教室、根津美術館慷慨提供寶貴史料。

岡本太郎

一九五六年八月十五日

目次

第一章

傳統即創造

人力車夫與評論家們

這件事發生在很久以前。

廣播電臺播放了一檔錄播節目。一位做過人力車夫的嘉賓扯著沙啞的嗓子，追憶當年的夢想，他和主持人的談話大致如下：

「人力車是個好東西啊，可惜這年頭找遍世界都找不到嘍。」

「人力車好在哪裡呀？」主持人問道。

「這還用說嗎！汽車啊，你想想，它一點意思也沒有。還是當年好啊。明月當空的夜晚，拉著漂亮的藝伎在月下漫步，那滋味，別提多美妙了。

走小路的感覺就更爽了。人力車多靈活呀，再窄的路都進得去。計程車就不行了，怎麼開得進去啊，哈哈哈哈⋯⋯。

反正啊，人力車就是世界第一！」

車夫的語氣中透露著一股實誠勁頭。可主持人一問：

「大叔，那您現在做什麼工作？」

他竟回答：「哦，我現在是中野車站門口的計程車調度員。」

敢情笑點在這裡呢。

我捧腹大笑，眼前不禁浮現出那群打著傳統藝術旗號、自比權威的評論家的嘴臉。這樣未免有些失禮，但這串對話實在聽著太好笑了。

這就好比不久以前，這群人做的也是拉人力車的營生。可是戰爭結束，時代一變，他們便跑到某個文化中心門口，當起了計程車調度員，還不時仰望明月，飄飄然感慨一番。不過近年來局勢有變，他們大有一副要讓陳舊的人力車重見天日的架勢。

真是滑稽。如果只是自顧自地荒唐，我當然沒有意見，可事實是他們給自己貼上「文化權威」的標籤，還慫恿別人一起荒唐。那我就不能坐視不管了。用人力車做比喻也許還能一笑置之，若換作奈良的佛像、桂離宮或能樂，就沒人笑得出來了。

傳統的確是我們的血液，也是骨架。如果當代人能從中解讀出樂趣，傳統便成為推動我們不斷前進的動力，那當然好得很。

然而，現實是殘酷的——很遺憾，大眾所謂的「傳統」，與上述定義背道而馳。實不相瞞，「傳統」、「古典」等詞語在眼下最青春鮮活的一代人眼中，就是莫名其妙的囂張、迂腐、煩瑣、昏暗，甚至是沉重。在他們看來，傳統並非色彩斑斕，反而陰暗潮濕，與壓鹹菜缸的石塊無異。

如果他們好學不厭、提升素養、加深造詣，對傳統的印象也許會發生變化。但那些不想努力學習，也沒有相應能力的年輕人，只怕一輩子都很難和傳統沾上邊。

即使是有相當知識水準的人，也會像斷了線的風箏，被吹向毫無歷史底蘊的方向。好比小鋼珠、麻將、歌謠曲、脫衣舞等，真是要命。

再沒有哪個國家的人和日本人一樣，明明承受著傳統的重量，卻在生活中迷失了方向。顯然，這不是古典的內核。

是傳統主義者在兜售這種印象，虛張聲勢蠱惑大眾。他們沉浸在興趣使然的陶醉中，煞有介事地自說自話。讓人誤以為這種故弄玄虛的態度，就是日本古典的核心。

瞧瞧這段話：「來到百濟觀音面前的一剎那，我腦中響起有如在深淵徬徨的神奇旋律。昏暗的殿堂中白煙裊裊。當煙霧與仿似永恆的觀音接觸時，我們唯一能做的就是沉默。白煙的搖曳，也許就是飛鳥時代人們苦惱的旋律吧。」（引自龜井勝一郎〔亀井勝一郎〕《大和古寺風物志》〔大和古寺風物誌〕）——弄成這樣可不行。二十世紀的現代人、平民大眾又不活在飛鳥時代（五九二年～七一〇年），自然不敢說「不是這樣」。膽子小的人甚至會覺得：老天爺，真是不得了！

百濟觀音的確出色。問題是，「源自大地的永恆火焰」、「塑像讓人重燃雙手合十的衝動」之類的抒情語句，只能讓讀者聯想到作者虔誠的神情，卻無法勾勒出觀音像的模樣，而這正是最為關鍵的。

上述文字就是所謂的「美文」。不過是寫字的人文筆好而已，和傳統沒有關係。

某位評論家的態度更令人毛骨悚然。他在一本傳統論著的開頭來了這麼一段。

剛到法隆寺的中門，他就開始裝腔作勢地唬人：「這裡的空間存在一個神秘之處。沿著這條路往前走，走到底，就是那根位於中央的柱子。這扇門好像是給人走的，又似乎將人拒之門外。明明是門，卻被堵住；明明是迎接來客的入口，卻擋住了去路……彷彿在對我訴說——『此處是門，但你不能進來』。」

他又說道：「雖然是一扇門，卻不是單純、開放的通道，反而暗示著閉鎖。它既迎接來客，又拒絕來客。」（引自竹山道雄《古都遍歷》〔京都遍歷〕）

看完這段文字，我都傻眼了。莫非這位評論家老師見到的是什麼裝了機關的門不成？

一般來說，一條「單純、開放的通道」是不會安門的。人世間所有的門，都暗示著閉鎖。每一扇門都有迎接與拒絕兩種功能。門這東西就是這樣。（這麼簡單的道理，居然也要我解釋半天！）

莊嚴的法隆寺中門並不特殊。去別人家借錢時、小偷要溜進某戶住所行竊時等，在當事人看來，門都將緊張情緒推至最高潮——不是歡迎就是抗拒。

了不起的大學者在法隆寺前靜立許久後所發現的玄妙，自然而然帶上了傳統的光環。大家也跟著覺得權威的言論別有一番深意。真是奇了怪了。

那些所謂的「著作」通篇都這樣給讀者洗腦，讀書成了聽和尚念經。聽是聽不懂的，只能暗暗告訴自己：「那大概是很高深的經文吧！」

但是這類言論能孕育出什麼樣的傳統呢？無非是讓古典變得越來越主觀罷了。

所以說，他們越是用自己那一套方法假借學術之名宣揚、強調傳統，不幸的文化割裂就會越深，我們的傳統也會漸漸變得讓人更加陌生。

法隆寺燒得好

現實是殘酷的。問問年輕一代對古典藝術的看法就知道了。

恐怕年輕人會將光琳（尾形光琳）、探幽（狩野探幽）、等伯（長谷川等伯）等這些人名，當成新研發的藥物名吧？而達文西（Leonardo da Vinci）和米開朗基羅（Michelangelo）之類的西方名家，他們倒是還知道個大概。這樣一來，都不知該說哪方才是下一代人要繼承的傳統了。

再舉個不算新鮮的例子。一九四九年法隆寺金堂失火，珍貴的壁畫被毀。那年，某家報社發起「年度十大新聞」民意調查。排名第一的是「古橋打破世界紀錄」，第二名是「湯川秀樹榮獲諾貝爾獎」，緊隨其後的是「三鷹事件」和「下山事件」。法隆寺壁畫遭毀明明是我國文化史上的一樁慘劇，火災發生時鬧得沸沸揚揚，這樣大的事居然只排在第九位，算是勉強入圍。（火災發生後，法隆寺反而受到了關注。假設奈良東大寺大佛殿的年收入是十，法隆寺等在火災前的收入則是一，藥師寺、唐招提寺藏有大量古代美術傑作的寺院只有零點一。誰知金堂壁畫燒毀後，遊客數量直線上升，竟達到原先的四倍。）

我都能猜出傳統主義者會發表什麼高見：「這群俗人……」、「戰後派的人……」、「現代的頹廢……」他們一定會詛咒這個時代，哀嘆今人教養不足。

但長吁短嘆又有何用？事到如今再感嘆壁畫已毀、人們不為所動，還有什麼意義呢？一定還有更本質、更迫在眉睫的問題，等待我們解決。

把自己變成法隆寺就行了。

失去了寶貴的東西，就應該竭盡全力填補它遺留的空白。更要化悔恨與空虛為動力，創造出比原先更優秀的東西。下定了決心，接下來的一切都好辦。把創造出來的新事物昇華到傳統的高度就行了。

只有這種頑強的氣魄，才能催生出繼承傳統最直接的方式。死抓著過去的美夢，悶悶不樂、自尋煩惱，無非是在侮辱當下，讓自己愈發貧瘠。

況且，真會為這點小事唉聲嘆氣的人，想到無數消逝的人類文化瑰寶，豈不是要渾身戰慄、發瘋而死了？

我不為此嘆息。非但如此，我還要為火災叫好。大家早已厭倦了貼著注冊商標的傳統，心思都不在上面了。如果戰爭與戰敗能給文化製造缺失明顯的斷層，給自以為是的傳統主義畫上句號，短暫的空白與教養的缺失又算得了什麼呢？

這不但不是壞事，還是一個絕佳的機會。身負重任的年輕一代在直視傳統時，不會受任何局限——我們必須為他們創造這樣的條件，撰寫本書的初衷也正在於此。我要揭下誰都不敢碰觸的迂腐面紗，將它擺在眾人面前，升級成所有現代人都須面對的問題。

前些天去龍安寺時，碰上這樣一件事。在我眺望石庭時，來了好幾個遊客。他們剛走到方丈（寺廟住持的房間）邊緣，便大聲叫嚷：

「是石頭！石頭！」

多麼奇怪的反應和不客氣的口吻。正常的日本人絕不會說出這種話，怕不是第二代移民吧？連我這麼沉得住氣的人都驚呆了。

只見他們一邊繞著方丈的外側走，一邊說：

「只有石頭。」

「搞什麼啊，虧死了。」

這下我就懂了。他們花了一大筆車費，大老遠跑到京都郊區，卻發現這園子裡只有幾塊普通的石頭。不覺得虧才怪呢。

這座名園的氛圍原本嚴肅而緊繃。遊客單純樸素的價值標準，卻在一瞬間瓦解了園內凝固的氣氛。連我也被感染，明朗的笑意從心底湧了上來。

第一次參觀這座庭園時，我也曾因為期望過高而失望。過多的主觀論調讓我反感，沒有看到預期中的嚴謹藝術。

不過近年來，為了推翻日本盛行的錯誤傳統意識，我參觀了古典名勝，中世（一一八五年～一五七三年）的庭園也去了不少。探訪過程中，我總習慣於過度專注地凝視一塊石頭，百般防備，最終還是落入了敵人的手掌心。好險好險。大家應該都聽過童話故事《國王的新衣》（*The Emperor's New Clothes*）吧？故事中的孩子有一雙透澈的眼睛，只有他大聲喊出：「咦？國王沒穿衣服！」我們若失去了這樣一雙眼睛，問題就嚴重了。

我們荒唐地發現，庭園中不過是普通的石頭。但正是合乎現實的「再發現」，粉碎了權威與裝腔作勢的人的論調。近代前所未有的人文傳統，也的確從這裡起步。

「搞什麼啊，只有石頭」——也許說這話的遊客，表現出了處於文化斷層的人的空虛和可悲；然而仍有些藝術品足以打動心態平和且隨性的人，讓他們有觸電的感覺，這樣的傑作才是「真品」，其中蘊含著傳統的本質、藝術的力量。

話說二戰前，我剛從法國回來那一陣子。某天，小林秀雄請我去他家做客，展示了他引以為傲的古董收藏。他先拿出來三個奇形怪狀、通體漆黑的壺。我心想：完了，總得評論兩句吧？可我對古董沒有一點興趣，也沒研究，是如假包換的門外漢。不過瞧著瞧著，倒覺得其中一件特別有味道，便說：

「這個一定是頂級的好貨。」

話音剛落，對方便驚呼：

「喲！虧你能看出來！這是扁壺（古朝鮮的水壺形陶器，非常名貴），全日本只有三件，這是其中之一。前後有好幾十個所謂的古董專家來我家做客，你是第一個能一眼看出這件與眾不同的人。」聽到這話，我比他還驚訝。接著，小林又拿出一只白白的大壺。我說：「好是好，就是壺嘴有點奇怪。」他更是大吃一驚：「你的眼力真是不得了！壺嘴的確是後來加上去的。哎呀，總算找到知音了。」他激動不已，把家裡的寶貝全搬了出來。乖乖，不得了。無奈之下，我只得一一點評。小林表示，我說的句句都中，簡直神了，我卻覺得沒什麼大不了的。他翻箱倒櫃的時候，我看著那消瘦的背影，不禁生出些許同情與悲涼。

人世間的美明明數不勝數，我們卻感到厭倦，深陷絕望。唯有那些對美絕望、厭倦的人，才是真正的藝術家。

堅決當外行

請別誤會，我沒有火眼金睛。能鑑別古董，也不因為我是藝術家，接受過相關訓練。只要夠純真、夠誠實，誰都能看得明明白白。

為什麼普通人看不出來呢？因為他們明明不在行，卻裝腔作勢充行家，硬要以專家的視角看待事物，捂住了原本不受遮擋、不受傳統影響的雙眼。

照理說，外行才有真正的慧眼。內行知道的東西太多了，規矩、由來、歷史等瞭解得越多，就越容易被牽著鼻子走，看不透本質。換句話說，所謂的內行不過是鑑定家罷了，站在名勝古蹟邊上為遊客講解倒挺合適，真要插手藝術，可就大事不妙了。

一扇屏風本身的藝術價值，與是否出自宗達（俵屋宗達）之手沒有任何關係。無論真品，還是誤傳導致的贗品，好就是好，不好就是不好。

這種赤誠的「外行慧眼」，是復甦傳統，令現代藝術永保新鮮的根本條件。這才是批評的真諦。

藝術層面的批評只與價值掛鉤，重在重新發現價值、創造價值。真正的藝術家必然是批評家，但絕不是鑑定家。藝術家不會、也注定無法對鑑定感興趣。

然而長久以來，人們一直把鑑定家與批評家混為一談。今天的大多數批評家都不是在批評，反而是鑑定。自以為「批評」的是作品的藝術價值，還將觀點強加於人。所以真假才會變成藝術層面，甚至道德層面的價值標準。

不知大家是否聽說過「職業美學」這個詞。我曾看到過一本法國的醫學書籍，印了很多噁心到令人作嘔的病灶照片（比如癌症的病灶），圖注竟是「多美的病例啊！」。

我學過一段時間考古，拿起人類最古老的工具——謝勒－阿舍利文化（Chelles-Acheulian Culture）造就的粗糙石器時，總是覺得它們很美。

每個專業領域特有的感動與樂趣，都能讓人感到某種美學層面的震撼。古董的美學給傳統主義者帶來的陶醉也差不多。古董鑑定家發掘出一件歷史悠久又有來頭的文物時，定會如痴如醉。要是這件古董能讓他大賺一筆，它的美必然更加耀眼。

若是科學家大喊一聲「太美了」，不會有人認為他是在為藝術感嘆。然而，一旦涉及古代美術作品或古董，人們便很自然地認為「專家」點評的是其藝術價值，這著實是一樁怪事。更要命的是，鑑定家式的觀點往往被視為「權威意見」，橫行於世。

因為日本的傳統幾乎從未鮮活地走到藝術家的聚光燈下，上述不幸局面才會發生。我們的文化被所謂的傳統主義者和與傳統八竿子打不著的小鋼珠族、麻將族，生生割裂開來。傳統本該是屬於我們這些普通人的，應該杜絕個別專家打著權威的旗號指手畫腳。換言之，我們應該奪回傳統，切莫將它交到那些不折不扣的外行手裡。

哪怕戰後派沒有一丁點傳統藝術素養，只要讓他們與藝術直接接觸，要不了多久，連他們本人也不曾覺察的激情便會無條件地高漲，衝破考證與教條的束縛。如果這就是我們的正確傳統——日本的古典文化，就是與我們一脈相承的祖先的遺產。不論好壞，無時無刻不在向我們拋出問題。

以我自己為例。日本傳統藝術與中國商周時期的傳統藝術（第五十七頁）同為東方文化，但後者給我帶來更大衝擊。古埃及、古墨西哥文化（第五十六頁）的魄力，對我的吸引力也極大。它們的魅力是壓倒性的，能引發讓心靈劇烈震顫的、深層次的人性共鳴。

相較之下，日本的傳統就很難引發如此強烈的震動，有時還給人氣力不濟的印象。然而，在面對日本的古代美術作品時，我仍感到它們將關乎自己命運的課題，擺在了我們面前，有時甚至品嘗到某種難以自抑的厭惡。不過，我也能感知該如何接納它們，又如何將其推向前方；這是超越美學感動的因果循環，還伴隨著肉身的重量。

無論如何，這都與當下相關，是這個時代的人們要面對的課題。過去只能幫助我們嚼碎現在、跨越現在，是讓現在更緊繃、更閃耀的契機，是推動現在飛向未來的談資。重要的還是我們自身，而不是被品評的遺物。

傳統跟銀行存款差不多？

我們必須明確樹立上述原則。這是理所當然的。可偏偏有很多人要喧賓奪主，用現在做談資，給過去貼金。下面這段話就是本末倒置的典型：

我行走在奈良盆地。在這從容而悠閒的「國之最美之地」，看到歷史的悲喜劇諷刺毫不留情地上演，不禁意氣消沉。

某日，我在斑鳩里坐上公車，來到終點站，準備換乘另一條路線……這座小鎮的小道狹窄而清潔。放眼望去，盡是樸素的白牆住家。美麗的池塘零星可見。整座鎮子由這種沉穩的樣式統一起來。在遙遠的封建時代，日本一定也有過都市美。

誰知，來到火車站時，我竟茫然若失，呆若木雞。這一帶混沌至極，也喧囂至極。每家店鋪門口都高懸著鮮豔的鐵皮招牌，偽裝成高層建築；紅色的長條旗幟印著醒目的文字，隨風飄揚；敲鑼打鼓給店鋪打廣告的商人衣著誇張，令人為他們汗顏。演奏的響亮樂聲震得人頭疼。路邊有小鋼珠店。還有一輛廣播車沿著狹窄的道路緩緩駛來，喇叭放著震耳欲聾的樂曲，廣播員諂媚地招呼著：「鄉親朋友們……」那語氣像在竊竊私語，又有蠱惑人心的意味，噪音讓人想起黏糊糊的牙膏。這情景，簡直是瘋癲的代名詞。

——引自竹山道雄《古都遍歷》

他描述的畫面不難想像。能寫出這種話的人肯定不安好心。這些老生常談的現象，誰都會批評兩句，他何苦要以一腔惡意的激情去描寫呢？

這種論調太好寫了，簡直不費吹灰之力。

然而荒唐的是，這位大學者遊覽美麗而整飭的小鎮時，搭乘的是他極為鄙視的現代交通工具——公車和火車。我真希望他能找面鏡子照照自己的尊容。說句不好聽的，他穿的十有八九是土裡土氣的西裝。這號人物跑到「國之最美之地」和斑鳩里瞎閒逛，還不夠破壞、褻瀆當地風光的呢，跟瀟灑二字根本沾不上邊。這種人有什麼資格用文字抨擊別人呢？戰後慘淡的車站風景，倒是和他的風采相得益彰。

一個與這幅混亂圖景完美契合的小人物自抬身價，一臉嫌棄地嘲笑旁人。這才是最滑稽的鬧劇、最殘酷的喜劇。

說到這，我又想起那位人力車夫的話。載著藝伎，在月色中飛奔——那一定是一場令人懷念的美夢。可惜人力車、月夜和藝伎都已不再。現實生活中只有計程車，而他正是負責調度的人。只要還未認清自己和其他人活在同一個現實中，還在自大逞強，他的抱怨就永遠是一派胡言。

我也不覺得現世的風景多麼美好，甚至的確稱得上悲劇。然而，這片令人痛苦、厭煩的風景已經毫無疑問地存在了。木已成舟，你還能怎麼樣？

豈有此理——與古時候的斑鳩里、巴黎、羅馬等整飭精緻的城市相比，如今的斑鳩里實在是太醜陋、太混亂，也太瘋狂了。

但我會咬緊牙關，決不把這種話說出口。

如果現實如此，那就代表日本的現代文化就是如此，我們必須全盤接受。隨意批評兩句繼而放任自流，才最要不得。首先要冷靜地正視現狀，這是超越現狀的首要前提。正因為現實殘酷、令人絕望，才更應該面對它現有的樣子，決心從這裡出發。在我看來，這就是藝術的問題，這才是對待傳統的正確態度。

如果全日本的車站廣場都是一派瘋癲，我們就應該創造出比現狀進步的東西，不斷賦予它價值和意義。應該傾注全身心去改變當下，讓世界昇華到更豐滿、充實的層次。只有這樣，每個人才會在責任感的驅使下，被憤慨、勇氣與激情填滿。只有非做這件事不可，努力才有價值、有意義。

然而，那些所謂的學者卻在這一點上敷衍了事（顯而易見，他們明明沒有為這項事業動過一下小拇指尖）。他們高舉古典的大旗，綁架「過去」，好像盛氣凌人地貶低現在是他們的特權。他們逃避了今時今日、此時此刻必須承擔的責任。今天的「傳統主義者」就是這麼卑鄙。

我的態度與他們正相反。我始終認為，人們完全可以為了一小部分現在全盤否定過去。這總好過為了抬高過去而敷衍、糊弄、糟蹋現在。

此時此刻我活著，我會呼吸，會動來動去，會犯錯，也會隨口亂說。但如果沒有我這個活生生的人，古典與藝術就不會有任何價值。

過去的遺產之所以好，是因為現在的我覺得它好。我站在今天、立足於這一刻，認可並充分發揮了它的價值。是激情與力量支撐著遙遠的過去。從這個角度看，過去分明是倚靠現在存活的。

有些民族有過偉大的文化，卻被文化慣壞了，澈底失去創造力，淪為遺跡看守者和導遊。稍不留神，我們就是下一個。這種情況我是絕對不能接受的。這樣的「傳統」，當然也是要打引號的。

斑鳩里也許確實很美。法隆寺也許真的能引來很多遊客，營收頗豐。可這並不是「傳統的價值」。古板的藝術家總是把傳統二字掛在嘴邊，小心翼翼地捧著，彷彿那是寶貴的銀行存款，需要時就提一點出來，狡猾地照著古物的線條依樣畫葫蘆。這也不是傳統。

傳統依賴於人。可以斷言，傳統要靠我們的雙手煥發光彩，在此刻創造新的價值。傳統就是這樣堅強地傳承下來的。形式不是關鍵。應該代代相承的是生命力，是業障因果。

古典就是當時的現代藝術

一切古典，都是各個時代中不懼反對力量、立足於當下、不斷充實頑強生命力的精神造就的，都煥發著不仰仗已有權威、不妄自菲薄、盡情燃燒的氣息。只有這樣的東西才能化為傳統，並將傳統從精神與肉體的雙重層面，傳遞給決意活在當下的我們。

瞧瞧奈良的佛像吧。外殼剝落，變成不起眼的灰色，別說「裊裊升起的白煙」了，有些甚至和風化的橋桁相差無幾，簡直慘不忍睹。昏暗的殿堂中沒有火光，佛像就這麼靜靜地端坐當中，遙想過去。但是請別忘記，曾幾何時，它們都有金光閃閃的膚色，身披鮮豔無比的油彩，背後伸出一千條手臂探向半空，頭周圍還有十多張金色的臉孔。除此之外，還有璀璨的寶冠、光環、天蓋——那令人倒吸一口冷氣的震撼力，彷彿猛烈的原色交響曲。

大家不妨回想一下東大寺大佛。在生產力尚不發達的時代，人們竟敢鑄造一尊五丈數尺高的金色大佛。現代人都不一定有這份膽量。這是何等的胸襟和精神啊。

如今，大佛表面的金箔已經剝落，千年的塵埃遮住了它的光彩。但在它剛剛落成，還閃耀著奪目光芒的時代，它的周圍還聳立著色彩繽紛的七堂伽藍，據說上面塗有佐保山開採的五色土，風鐸在風中鳴響。在那時，放眼前庭，人人戴著奇怪的面具，身著五彩斑斕、金光閃閃的華服，演奏雅樂，翩翩起舞。廣場上人聲鼎沸，文武百官皆作唐風打扮。遙想當年隆重而壯觀的景象，幾乎叫人喘不過氣。

古人云：「寧樂京師地，好一片青丹。」但那個時代的青丹色是指一種透著綠的濁色，和周圍環境一點也不相稱，看起來讓人不快。再配上暗朱色、桃色，甚至金色，真是礙眼。如此不協調的露骨配色，連我這個接受能力強的人都有些吃不消。

與我們相比，彼時的人們一定也純真無邪到讓人吃不消。看到龐大、鮮豔、光芒四射的東西，竟會生出格外誠實與單純的欣喜，沒有一點點炫耀或彆扭的成分。近代特有的纖弱神經，在他們身上全無蹤影。

那麼大和民族最古老的文化——繩文土器的美呢？

繩文土器是下一章的主題。它激烈與緊張的空間性空前絕後。那種壓倒性的激情是繩文（西元前一萬四千年～前十世紀）特有的，此後任何一個時代都沒再出現。從安土桃山（一五七三年～一六〇三年）到元祿（一六八八年～一七〇四年）光琳的文化，對我們來說也是一場華美的夢。

日本的文化有的激烈燃燒、爛漫綻放，有的恰恰相反。中世以後興盛起來的侘寂文化就是這樣。

從鎌倉（一一八五年～一三三三年）到室町（一三三六年～一五七三年），禪宗一直是時代的精神脊梁。它以「無」為傳播方式，從大乘佛教的角度肯定現實，在當時是極為新穎、積極的哲學。藝術革命就在這種思想基礎上得到推進。禪宗的藝術手法很細膩，其中也蘊藏著時代的積極性。

現代人視能樂為寡淡、嚴肅的代名詞，然而當年的能樂師則有著過人的積極性與追求實際的頑強精神。他們正視田樂與猿樂（在當時的人眼裡，那些是下賤的大眾娛樂），接納其為真正的藝術。即使被輿論貶低為乞丐所為，他們依然勇往直前。正如我們在《風姿花傳》（風姿花伝）等文獻中看到的那樣，是他們將能樂昇華為高水準的藝術理論與自覺。

茶道的發展亦然。茶道的雛形「鬥茶」不過是貴族的時髦消遣。茶人將其昇華為「僅煮水、泡茶和品嘗」（千利休），賦予以茶為中心的生活藝術價值。在意料之外的地方發現新藝術，和時代的兵荒馬亂與血腥激烈碰撞，逐漸確立了茶道的藝術地位。茶人的意欲與智慧是何等寬闊而激烈啊。

能樂師、茶人絕不是傳統主義者，而是頑強跨過古老傳統的現代藝術創造者。

當然，在他們各自活躍的年代，肯定也有很多推崇過去、對新興藝術嗤之以鼻的文化人，和今天的傳統主義者一樣。想當年，歌人還是文壇的主流，他們一心撲在本歌取與題詠上，將真實的感動擺在一旁，一味拼湊經典歌謠片段，雜糅一兩筆風情。他們鑑賞《源氏物語》、《古今和歌集》等上一個時代的小說與詩歌，還刻意設置各類繁雜的關卡，又是秘傳，又是奧義，好不複雜。品香也好，蹴鞠也罷，都有繁複的規則。目的都是原封不動地保留原先的做法。然而，這不意味著他們正確地、堅強地活在自己所處的時代。是以那些舊習也沒能長久，沒有以傳統的形式傳承至今。

背面文化

不幸的是，德川幕府（一六〇三年～一八六七年）三百年的封建統治與閉關鎖國，逐漸扭曲、壓制了中世文化的積極性。許多表現形式原本來自藝術家強烈而矛盾的個性主張，但隨著時間的流逝，它們還是淪為形式，並且愈發抽象，被逃避現實、利己且小市民式的氛圍偷換了概念。

人們不再關注正面，而是將全部注意力集中到背面。相較於生命力的猛烈迸發，細膩的小把戲才是「行家」的象徵。藝術朝著花哨、玩味、固定模式不斷墮落。

今時今日，如果我們只是單純地給這類消極的「背面文化」打上「日本傳統」的標籤，以此將其定性定位，那和明治時代（一八六八年～一九一二年）有什麼區別？

在日本的閉關鎖國畫上句號、國門敞開後，積極而奢華的西方近代文明強有力地湧入。強健旺盛的氣場，徹底壓倒了我們。

當然，那時也曾出現對國粹主義的抵觸。歐美的科學與人文主義來勢洶洶。日本必須盡最快速度調整好自身的特色傳統。西方文化的確來到了日本，卻呈現出一種極不自然的狀態。與之對應的日本主義也有同樣不自然的扭曲。

面對陽性的、濃重的西方文化，日本人拿出陰性的、素雅的背面（消極）文化與之抗衡。面對唯物而明快的現代性，人們打著日本文化的嚴肅旗號，繼承唯心的精神主義與形式。

茶道和其他封建藝道都在刻意的復古主義思潮推動下，實現了復興。眾所周知，帶有形式主義色彩的現代日本畫的風行，也是這一時期由岡倉天心、狩野芳崖、橋本雅邦等人造就的。

我無法相信這種倉促趕制出來的東西。它源於面對西歐文化時的自卑，和影子一樣虛幻，不過是缺失了實體的文化背面。

更糟糕的是，這些粗製濫造的東西讓日本人從一開始就被傳統禁錮，一味將自我擠壓到背面。

我說這番話，不是為了對比豁達、激烈而天真無邪的正面文化與封建時代以來的背面文化，評孰優孰劣。這兩種文化都是我們的過去。當務之急是擁有一雙不受拘束的、誠實的眼睛，以純粹樸素，卻又激烈透徹的態度重新審視二者。與此同時，還要面對當下。正如我反覆強調的那樣，正確理解「現在」是一切的先決條件。

我們已經置身於世界的現代史中。無論是現代藝術，還是自然科學，都不可能脫離現代的要求。傳統當然也不例外。傳統的傳承要通過我們完成現實中的課題來實現，需要我們跨越過去的坐標，將傳承建立在現代體系中。

空間問題、合理的思考方式、個性與社會自覺等都是在日本文化中，早已退場的東西。即使它們已經不同於過去的日本文化，甚至與過去的文化完全相反，活在今天的我們在行動與思考時，也不能不做考慮。那是我們必須面對的前提，無法迴避。

我們現在必須一併接納日本與西方過去的傳統，並努力克服。沒有必要成為國粹主義者，也不用逼自己追趕時髦。歷史長河孕育出的高水準文化都必須背負這種命運。不戰勝它，就不可能開創恢弘的文化傳統。

一切人類能夠碰撞、把握、消化的東西，都應該轉化成我們的食糧。唯有強健而全面的生命激情，才能成為新傳統的證明。頑強戰鬥，在地面挖出深深的印記，塗下鮮活的色彩。人類的傳統，就是在這些印記承受風吹雨打、電閃雷鳴與烈日驕陽的時候，傳遞下去的。

第二章

繩文土器——民族的生命力

繩文之美

潛藏在血肉中的神秘激情

在現代人眼中，這些文物的形態著實怪奇。但這種壓倒性的強勢，正合乎日本人的祖先引以為傲的審美觀念。直至今日，這觀念仍然潛藏在我們的靈魂深處。

你能感受到那令人戰慄的共鳴嗎？這種強烈的美學觀感甚至讓人體會不到所謂的日式風格。希望我們有朝一日能夠將它拾回。

山梨縣出土，藏於東京大學人類學教室。

長野縣出土，藏於東京國立博物館。

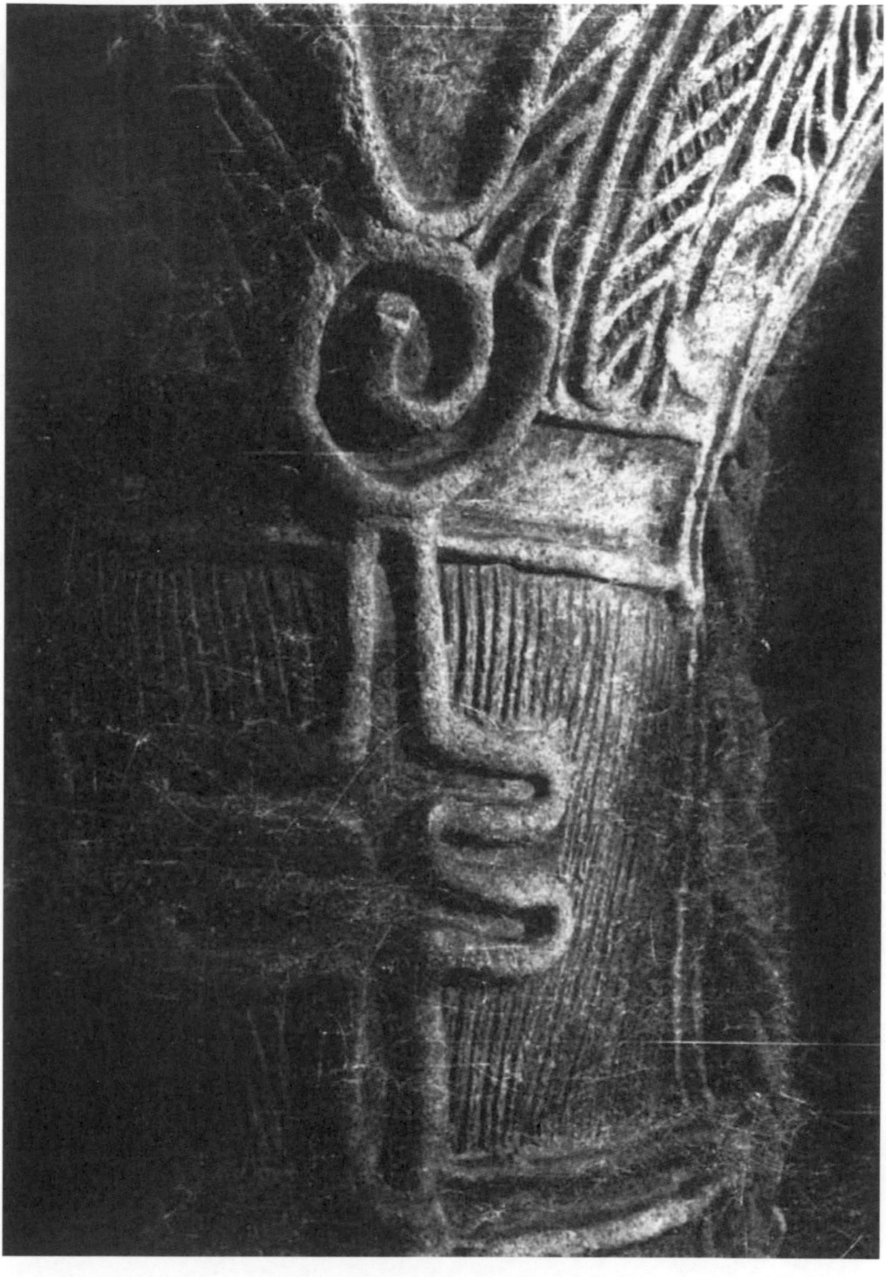

琦玉縣出土，藏於東京大學人類學教室。

東京北多摩出土，藏於東京國立博物館。

東京北多摩出土，藏於國分寺町文化遺產保存館。

東京北多摩出土，藏於國分寺町文化遺產保存館。

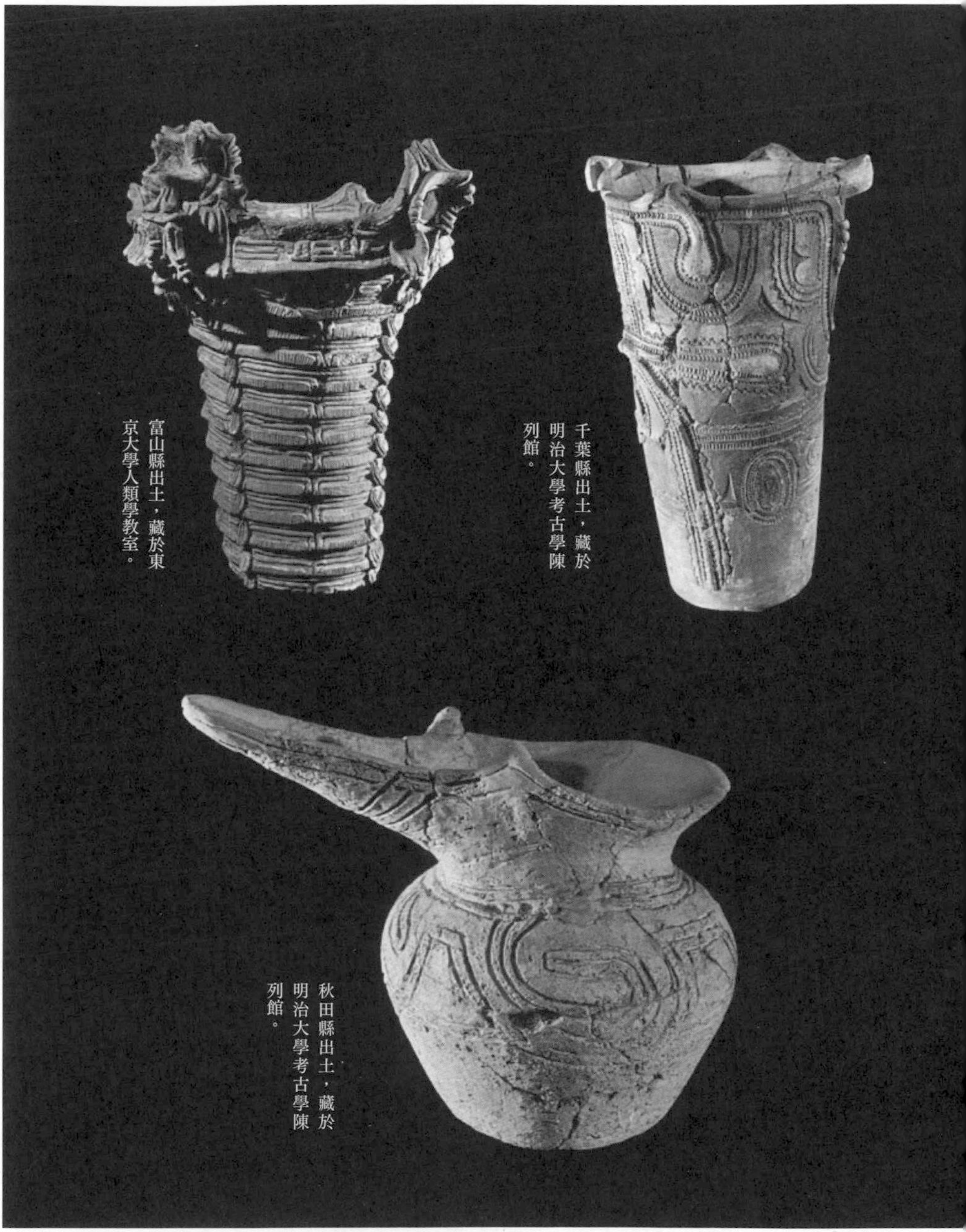

富山縣出土，藏於東京大學人類學教室。

千葉縣出土，藏於明治大學考古學陳列館。

秋田縣出土，藏於明治大學考古學陳列館。

把手

神秘的海底，錯綜的迷宮。這些厚重的表情都在把手上體現，甚至表現出超出這一層深度的、令人驚愕的空間性。

山梨縣出土，藏於東京大學人類學教室。

平靜中蘊藏著激烈，讓人聯想到猛獸莊嚴的生命力。
東京北多摩出土，藏於國分寺町文化遺產保存館。

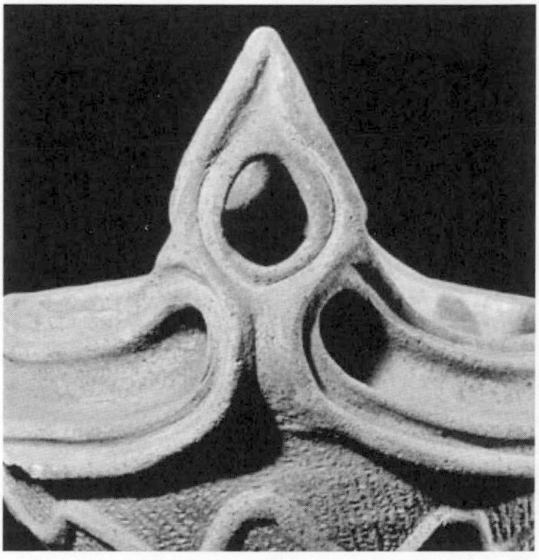

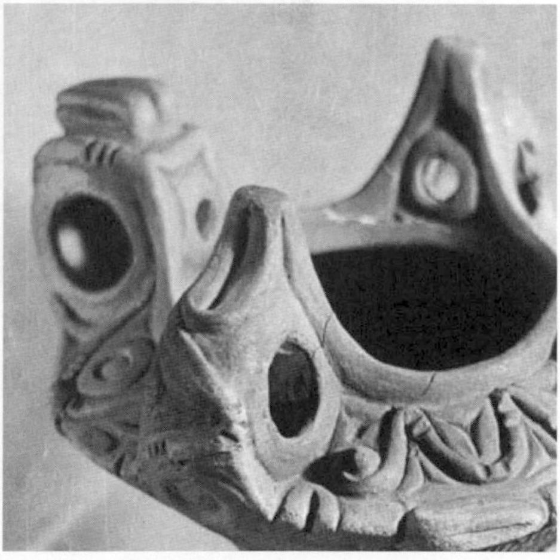

紋路

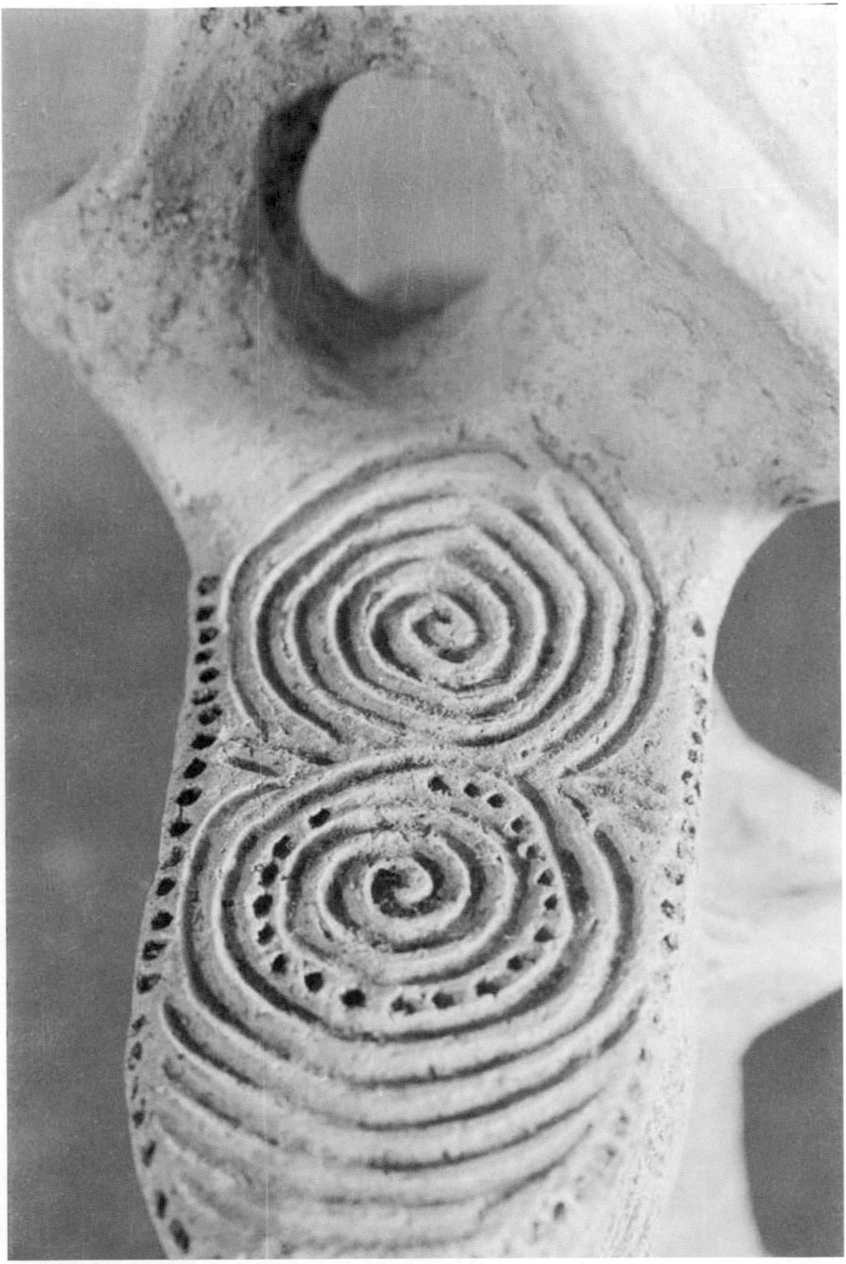

彌生土器

三重縣出土，藏於東京國立博物館。

名古屋熱田出土，藏於東京大學人類學教室。

熊本縣出土，藏於東京大學人類學教室。

從時代層面看，彌生土器與繩文土器一脈相承。但彌生土器的美之形式截然相反。繩文以空間性和激烈見長，而彌生的形態更規整，美在幾何學層面的均衡與柔和，這正是今天人們心目中日式美學、日式傳統的起點。

同樣的民族，不同的審美。如此令人驚愕的差異是怎樣產生的？其背後自然有框定差異的社會條件。

東京板橋出土，藏於明治大學考古學陳列館。

長崎縣壱岐出土，藏於東京大學人類學教室。

土偶・土面

右下的側面

山梨縣出土，藏於東京國立博物館。

千葉縣出土，藏於明治大學考古學陳列館。

青森縣出土，藏於明治大學考古學陳列館。

千葉縣出土，藏於明治大學考古學陳列館。

長野縣出土，藏於東京國立博物館。

長野縣出土，藏於東京國立博物館。

橫濱市出土，池田健夫收藏。

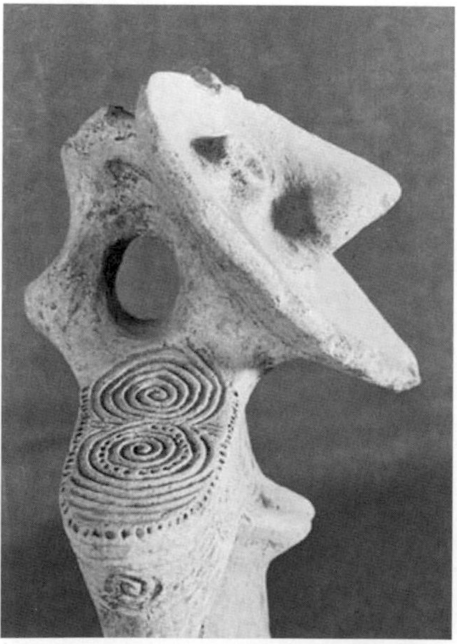

群馬縣出土，山崎義男收藏。

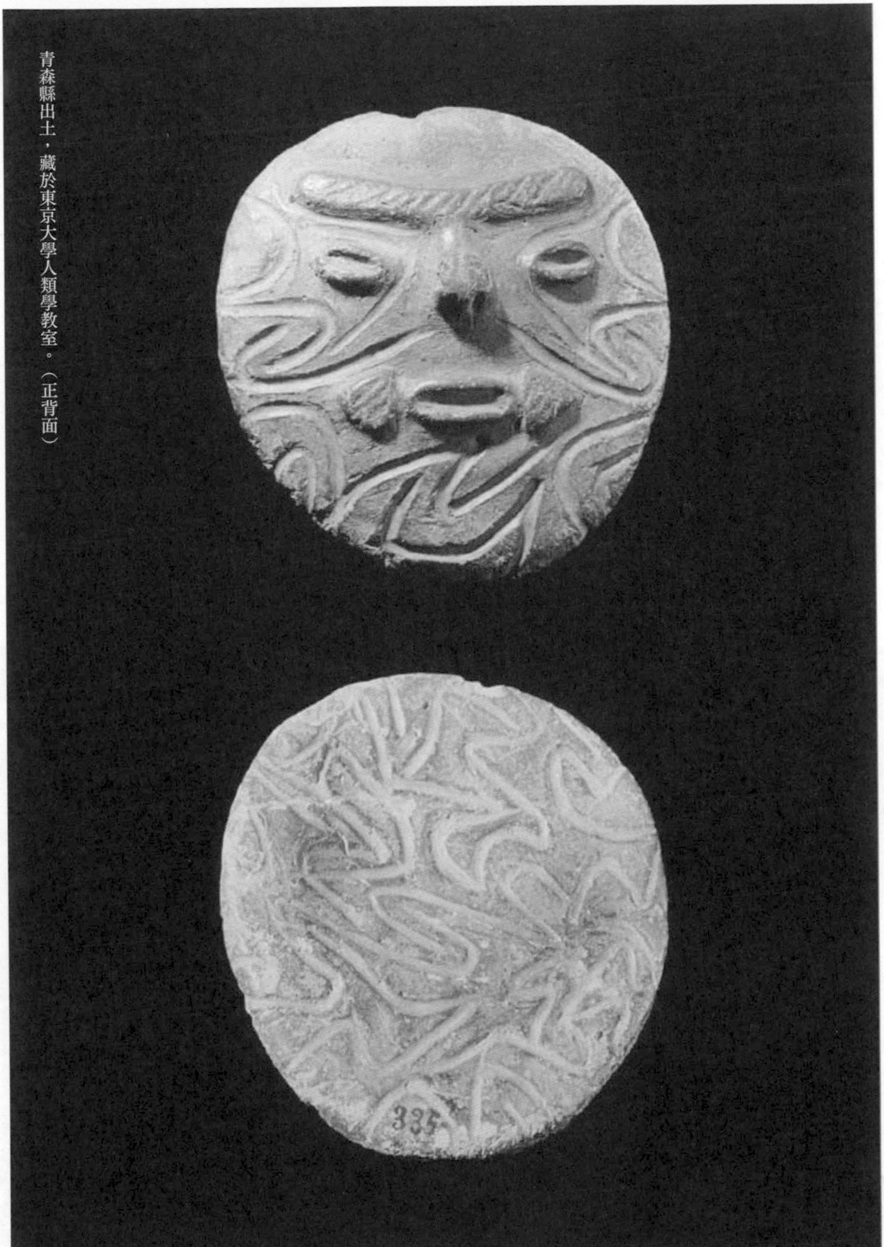

青森縣出土，藏於東京大學人類學教室。（正背面）

亞洲的共鳴

奇琴伊察遺跡

夸特里姑像，藏於墨西哥國立人類學博物館。

烏斯馬爾瑪雅文明遺跡

墨西哥與亞洲密不可分，讓人產生一種血脈相通的親切感。

中國商朝銅器，藏於東京青山根津美術館。

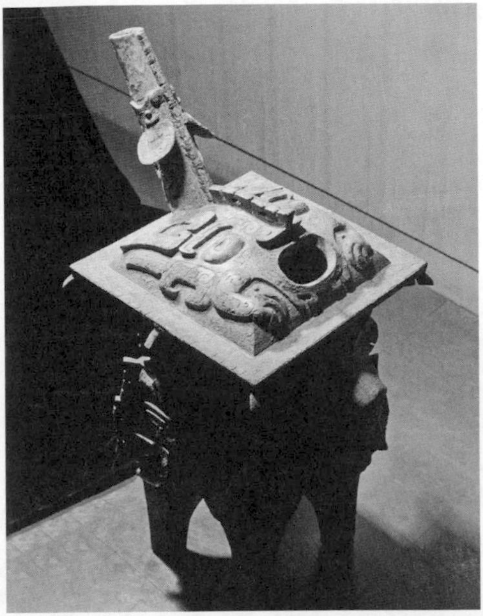

不和諧的美

第一次看到繩文土器，你一定會感到驚訝：這是哪裡來的野蠻人做的？真是詭異。殊不知，那都是日本人——我們如假包換的先祖的傑作，是寶貴的文化遺產。聽到這話，大家恐怕是又要大吃一驚，任誰都會一臉疑惑，難以接受。

繩文土器的美感的確不可思議，它的形態與紋路好似粗暴的不和諧音所發出的呻吟，它的氣魄給人無限的震撼。

隆線紋（將黏土搓成繩狀貼在土器外側形成紋路）猛烈地相互追趕、遮蓋、重疊、突起、下降、盤旋。緊張感無窮無盡，近乎執拗，還有一股純粹、清透的文化底蘊特有的犀利。

繩文中期土器藝術達到極盛，作品呈現出幾乎令人窒息的美感。我平時總是強調藝術的本質是超自然的激烈與不和諧，而繩文土器的魄力，甚至讓我有大叫的衝動。

繩文土器果真出自我們祖先之手？眾人心目中的日本傳統是平靜、安詳而細膩的，繩文土器卻和這些形容詞扯不上邊，甚至截然相反。它們也的確不太受傳統主義者和古董愛好者的歡迎。

繩文和此後的時代之間似乎真的存在審美斷層。曾有學者認為，繩文土器是另一套文化體系的產物，其製造者和現代日本人是完全不同的人種。

在彌生土器與陶俑中，我們能捕捉到與現代相通的、所謂的「日式審美」。繩文土器卻很難讓人立刻產生這種聯想，因為它們實在太詭異了。雖然學界已經推翻了繩文土器並非出自日本民族之手的猜測，但有人有這個想法也無可厚非。

一九五二年，我首次將繩文土器擺到傳統與藝術的層面探討。當時，大多數人只把它們視作考古資料加以觀察，並未定位成藝術的傳統，也不覺得繩文土器與今天的日本有直接關聯。

現代日本人實在無法接受如此濃厚、複雜、不和諧卻又強健的美感，甚至感覺無福消受。於是人們至今仍在纖弱的神經外砌了一堵牆，屏蔽繩文之美，下意識地將它置於傳統之外。所以大家承認彌生土器與陶俑是日本的經典，疼愛有加，常把它們印在海報、日曆之類的地方上，繩文土器卻備受冷遇。

誠然，無論從文化史還是形態學的角度來看，繩文文化與之後的文化都存在明顯的斷層。從彌生時代（西元前十世紀～西元三世紀）到現代日本，格外嚴謹的藝術表現形式一脈相承。但我們不能因此斷定唯有繼承形式才是絕對的傳統，也不能因為繩文土器的樣態與之後時代的截然不同，就認為它是與傳統風馬牛不相及的異物。

我在上一章強調過，傳統不是類似形式的不斷重複。如果我們能觸及繩文土器原始的能量與純粹，激發、拾回人性本源中不斷流失的激情，全新的日本傳統將以更加豪邁而無畏的姿態得以傳承。這也是我發自內心的希望。

我在歐洲生活過很長時間，習慣了各種冷酷無情、蓬勃強健的傳統。可回國後接觸到的日本文化，尤其是被貼上傳統標籤的那些，都那麼孱弱與陰暗，著實讓人失望。

近世（一五七三年～一八六八年）日本特有的自作聰明、單調呆板的情趣主義就更不用說了。瞧瞧被奉為日本古典之最的奈良佛教美學吧。它直接從中國進口，以豪華與壯觀著稱，被編入本土傳統時，日本還處於相當樸素的階段，與中國已臻成熟的文化並不契合。中國文化厚重而高高在上的特質，讓我覺得不是滋味。把時針再往前撥一些，便是古墳時代（西元三世紀中期～七世紀）土偶文化極度樂天的審美觀念。土偶體現的是與現代日本人一脈相通的簡明的形式主義，令人絕望。

難道溫暾而消極的樂天主義，就是日本文化的宿命嗎？讓人無地自容的自我厭惡感籠罩了我。

但是初見繩文土器時，我便由衷地讚嘆，彷彿五臟六腑都在翻江倒海。片刻後，難以名狀的快感順著血管遍布全身，化為無窮的力量。那不僅是對日本和日本民族的讚嘆，我切身品嘗到了更為深遠的，針對全人類的感動、信賴與親切。

不過，任憑自己被繩文文化超越現代日本的審美與魄力壓倒當然沒有意義。必須具體觀察，充分把握它的深度，轉化為自身的血肉。

先跟大家打個招呼，我不想在此進行考古解說，我國的考古學以縝密的考證見長，在全球考古學界都處領先地位。美中不足的是，日本考古學家總是更注重基於形態、技術的分類與編年，很少從文化與社會學層面審視文物，深挖它們的內涵。受其影響，連普通的外行人都開始裝「萬事通」了，這可不是好現象。我們絕不能被考證與分類框死，應該心無旁騖地面對土器，牢牢把握它們的內涵。

那就先看一看土器的紋路與形態呈現出的獨樹一格的（超日本式的）樣貌吧。

第一個問題是：如此驚人、激烈而強大的美究竟從何而來？第二個問題是：為什麼如此朝氣蓬勃的生命力會突然斷絕，被後來居上的彌生土器與陶俑的單調平淡（也就是所謂的日式傳統）取代呢？

必須先搞清楚這兩點。下面我將對比繩文土器與彌生土器截然相反的形式與表現手法，並分析它們各自的根基（也就是這兩個時代的社會條件）。那麼，就先從這兩個時代的生活方式談起吧。

狩獵時期的生活方式孕育的美學

有必要先瞭解一下當時的社會背景。

繩文時代，人們以狩獵為生；彌生時代則逐漸形成相當大規模的村落，人類社會也過渡到農耕時期。換言之，兩者處於不同的社會生產階段，生活中人們的世界觀當然也大不相同。

狩獵時，人們必須戰鬥獲取食物。追逐、前進、獵捕。躍進與鬥爭，是貫穿這一過程的根本情緒。這種情緒是動態的，極為激烈、積極乃至殘忍。

然而，打獵必然存在不確定性，不可能每一次都捕獲理想的獵物。有時候滿載而歸，有時候卻連獵物的影子都看不到。打不到獵物，就意味著挨餓和生存危機。反之，打到很多獵物就是天大的喜事，要大肆慶祝。打獵的過程總隱藏著不確定性與神秘。

獵場不是固定不變的。為了搜尋獵物，人必須不停地移動，這就是在探索未知，且這種探索是永無止境的。弱者會在移動中倒下，唯有強者才有活下去的資格，當時的世界觀建立在焦慮、孤獨與偶然上。

顯然，農耕民族的古板性格也受到了生產方式的影響。農耕民族的生活地點是固定的。（彌生時代，人們已經掌握了用水田耕種的方法，會飼養狗、馬、牛、雞，甚至建立糧倉，巨大的村落成型。已發掘的登呂遺跡就是非常典型的例子。）農耕生活按照一定的規律周而復始，鬥爭不再必要。基於日曆的周密計算與吃苦耐勞，成為那個年代的生存條件。秋天收穫的糧食會被儲藏起來，確保下一年有東西可吃。除了天災與飢荒偶然降臨，沒有其他東西能顛覆人們的生活。在那個時代，支撐世界觀的是穩定與均衡，節制與順從，必然與依賴。

這就是不同生產方式對兩個世界的生活情感產生的決定性影響。生產方式就是文化的基礎。我下面會具體分析一下兩種土器的形態與紋路。兩種文化的性格與世界觀，都完美蘊藏在土器之中。

隆線紋是繩文土器最重要的特徵。這種紋路激烈且犀利，躍動隨意而奔放。順著線條一路探索，你會發現紋路或時而分開、時而糾纏，或忽然出現。它們穿越了無數偶然與巧合，實現無限的回歸與逃遁。彌生土器的紋路溫和均衡，繩文土器的紋路則明顯體現出一個追捕獵物與爭鬥如影隨形的民族的冒險（見本章開頭的「繩文之美」）。

繩文土器整體形態上特有的不對稱性，也給觀者帶去了異樣的衝擊。這是一種不協調的動態，土器中總是蘊藏著突破極限的躍動。

觀者由此生出一種衝動：必須以某個不勻稱的面為起點，繞土器轉上一圈。可是一轉就會發現，隨著視點轉移，映入眼簾的是無數超乎想像的景象。

視野中出現屹立的隆起。目光順著銳利而粗壯的隆線紋移動，看到線條上升到極限，形成漩渦又突然下降，向左右兩側扭動兩三下，再垂直下墜。線條會突然朝意料之外的方向上揚，形成異樣的弧度，一點點向上攀爬，以不均衡的狀態高高鑽過平面、切入平面，又若無其事地回歸原先的軌道。

放眼世界美術史，還能找到第二種反美學色彩如此強烈的、能澈底顛覆觀者情緒的、荒謬絕倫卻又毫無意義的美嗎？

面對如此驚人的美，我幾乎說不出話來。不僅如此——順著將紋路串聯起來的橫線看去，會發現一個把手狀裝飾，彷彿倒置的鐘乳石。說它是「把手狀裝飾」，是因為相對於土器的體積，這個「把手」未免太小了些；可單純視作裝飾又嫌太大，顯得很不協調。層層疊疊、形態怪異的輪廓也透過「把手」的縫隙探出頭來，上面簇生的凸起像怪獸的犄角一樣相互交錯，令人毛骨悚然。

被這種魄力吸引的同時，異樣的協調不知不覺在體內產生共鳴。馬虎的態度絕對抓不住如此超自然的力量與均衡。無情的不對稱。強烈而不和諧的平衡。我堅信，這才是繩文土器喚起的巨大的傳統感動，我們必須將此轉化成自己的血肉。

超近代式的空間感

更令人驚愕的是繩文土器特有的空間性。幾年前，我前往博物館觀賞實物時，發現了這個令人感動的事實。驚人的空間性與近代審美直接相通。雕塑在美術史中始終占有一席之地，但是將長久以來只被視作雕塑背景的外側空間納入作品內部，轉化為造型元素甚至雕刻空間本身，則是二十世紀前衛、抽象主義雕塑家的偉大功績。亨利．摩爾（Henry Moore）、賈柏（Naum Gabo）、佩夫斯納（Antoine Pevsner）、雅克．利普茲（Jacques Lipchitz）、胡里奧．岡薩雷斯（Julio González）、阿爾伯托．賈克梅蒂（Alberto Giacometti）、亞歷山大．考爾德（Alexander Calder）等人傑出的空間調度，將雕塑推升到新的境界。然而，繩文土器對空間的處理方式，在上述前衛藝術家面前有過之而無不及。

石器時代的知識和技術水準有限，但那時的人竟能如此鮮活、俐落、完美地把握空間，著實令人驚愕。

該怎樣解釋這個事實呢？我思考了事實背後的意義，發現看似神奇，其實卻也沒什麼不可思議。

生活在狩獵時期的人，理應具備強烈的空間感。察覺動向、鎖定位置並抓住獵物，都需要敏銳的空間感。換言之，狩獵民族正是依靠這種感覺生活的。他們的空間感遠超

繩文土器，千葉縣出土。藏於東京大學人類學教室。

過現代人的想像，也在情理之中。倘若沒有這種建立在空間感上的生活方式，繩文土器這種特有的精準、細緻的空間把握方式便成了無本之木。

這樣一來，我會立刻聯想到歐洲舊石器時代的克羅馬儂人（Cro-Magnon）所繪的全世界最古老的畫作——阿爾塔米拉岩窟（Cueva de Altamira）壁畫。長久以來，人們一直不明白為何這些壁畫能給人巨大的立體震撼。對照繩文土器想一想，倒是順理成章了。

古人未經開化，知識和技術都停留在非常幼稚的水準，所以他們的藝術也一定單純枯燥——這不過是現代人的錯誤觀念。格式塔心理學家沃夫岡・科勒（Wolfgang Köhler）與戴維・卡

右｜繩文（懸掛式）土器，山梨縣出土。藏於東京大學人類學教室。
左｜彌生土器，三重縣出土。藏於東京國立博物館。

茨（David Katz）提出了所謂的「知覺恆常性」（perceptual constancy），並通過針對幼兒與黑猩猩的試驗，證明人類對空間的把握能力，不會隨著知識與經驗的增加而進步。他們的結論也為我的觀點提供了佐證。

接下來，我們從這一層面對比一下繩文土器和它之後的彌生土器（農耕文化）。

在彌生時代，技術具有長足的進步，土器形態也愈發協調。與此同時，強烈的空間感逐漸消失，無論形態還是紋路，都不聲不響地變得單一，蒙上更多的幾何學色彩。彼時，人類定居下來，將平地劃分成若干區域加以修整，過上了建立在農耕基礎上的生活。出現這種變化也很自然。人們的感知能力一旦形成平面的均衡，就會失去立體的敏銳。「幾何學」（geometry）一詞源自希臘語，是由土地（geo）和劃分、測量（metry）組成的。彌生人展現出高超的平面處理技術，卻逐漸喪失了立體感與空間感。誕生於彌生時代的左右對稱的平面形式主義與均衡，將會對近世以前封建農業社會的產物，也就是所謂的「日本文化」產生決定性影響。

當然，這些都是日本的傳統。但繩文土器的積極精神，也應該潛藏於我們的血肉之中。長久以來，藝術層面被壓制與積蓄的激情如一腔熱血，潛藏於每個人內心深處，我們必須拾回這份特有的滾燙與激烈。

今人眼中的「日式」與「日式審美觀」都顯得有些陳舊了。誰能料想在最遙遠的歷史源頭，繩文土器的積極性與空間感更容易引發我們的共鳴呢？真是太美妙了。

在我看來，這是因為今天的生活本就充滿了跨越腐朽與成規的激進氣勢。立體的高樓建築拔地而起。交通工具在天空、地面與地下自由穿梭，驚人的速度與綿密的交通網絡持續構築著全新的空間。無論是搭乘交通工具，還是過馬路時避讓車輛，都需要極為複雜的空間感，否則可能一步也邁不出去。

一九〇九年，法國飛行員路易・布萊里奧（Louis Blériot）完成了飛躍英吉利海峽的壯舉。這是一起劃時代的大事件。當時，羅伯特・德勞內（Robert Delaunay）創作了一幅由圓盤組成的抽象作品，為飛行員歌功頌德，在藝術界幾乎家喻戶曉。後來，抽象藝術蓬勃發展，影響了建築和其他實用藝術領域。現今，法國和義大利等國湧現出了空間派藝術家，著實耐人尋味。

人類已把人造衛星發射到平流層之外，製造出可怖的氫彈與導彈，我們平日裡的關注，被過分地轉向空間層面。

今天的空間，已經不再是形而上學的「天」，而是現實中被人類征服的領域。將空間融入生活的激情，還有對其的感知當然也有了質的飛躍。近代藝術對空間性的再發現之所以合理，正是因為生活已煥發出全新的狀態。

也可以說，這種空間感正在重新挖掘一度被我們遺忘的先祖的文化與藝術，並與之共鳴。

巫術的世界

將視線轉回繩文土器。

上文強調的是它與近代藝術相通的空間性。然而，現代人只將其視作三維的立體，從鑑賞雕塑的角度去觀賞，這未免太過平淡。我更關注土器特有的異樣神秘感。不能只看表面，而要擴大分析範圍，認識超越日常規律與自然的另一層面的性格，否則就不可能正確理解它。

我甚至覺得，繩文土器的真面目就蘊含其中。

在原始社會，每一件事都有宗教色彩，有「巫術」的屬性，這是社會學者普遍認同的。我之前也說過，狩獵生活會被偶然因素影響。尚未開化的人會就此深信狩獵的結果是由某種超自然意志主宰。萬物有靈，掌管萬物的是靈，人必須仰仗靈的悲憫與助力。召喚這股肉眼不可見之力量的手段，就是巫術。

對狩獵而言，相比實際動手抓捕的環節，捕獵前後的儀式要關鍵得多。

首先，人們要用巫術對獵物施法，將它引誘到獵場。如果巫術沒有成功，就很難發現獵物，即使發現後追上去，箭也射不中，一切努力都將付諸東流。一旦捕獵行動以失敗告終，人們就立刻認定族群裡有某個人觸犯了禁忌，導致巫術失敗。也就是說，巫術才是狩獵的首要條件，甚至就是狩獵本身。

抓到獵物後，還要施展收尾的巫術，安撫死去動物的靈魂，以免冤魂報仇，祈禱上天保佑下一次狩獵也能滿載而歸。要對自己殺死的獵物竭盡禮數，否則神靈就會生氣，讓大家再也吃不上東西。這是多麼自說自話的想法啊。要知道對動物來說，那些巫術都是多餘的。

日本東北地區至今仍保留著跳鹿舞的習俗。（戴上鹿的頭套，背上插著劈成細絲的竹子，一邊甩動竹子，一邊敲打拴在腰上的太鼓，繞著全村跳舞行進。）現代人也許覺得那就是普通的節慶舞蹈，跟舞獅沒有多大區別，但鹿舞一定是從巫術行為發展出來的，和獵鹿行為密切相關。

愛奴人（Aynu）的熊祭也非常有名，其鮮活地保留著古人施法的慣例。愛奴人一邊唱歌跳舞，一邊做出象徵射殺熊的動作，再把熊真的勒死，對牠頂禮膜拜，感謝牠的恩賜，安撫牠的亡靈，最後才享用熊肉。由古至今，漫長的時間過去了，活動的形式肯定發生很大的變化，但習俗明顯來源於狩獵時期的巫術祭禮。

繩文時代土面，秋田縣出土。
藏於東京大學人類學教室。

出於這方面原因，許多人無視因果關係與邏輯，認定風俗就是原始而野蠻的迷信。但我們有什麼資格嘲諷古人呢？今天的我們仍然保留著各種具有佛教色彩的活動。祭鰻魚、祭雞、祭針，都是原始心性的殘留。

原始時代的生活以祭祀為中心。

物質生活和精神生活都是由宗教支撐起來的。這當然涉及各個層面的審美觀，也必然承載著相應的宗教意義（其實，今天的審美形式也建立在資本主義生產方式上）。土偶、土面、土版（見本章開頭的「土偶、土面」）不用說，就連土器之類的日常用品的形態與紋飾，都必定承載著嚴格的意識形態。一看便知製造它們顯然不僅為了實用。那複雜、奇怪的繩文式紋路也不單單只是審美觀的產物，與現代的「為了藝術而藝術」一點也不一樣。繩文土器包含強烈的宗教與巫術含義。換句話說，它是四維的。

光說這些可能不太好理解，結合佛像分析應該就能想通了。眾所周知，有些佛像長著一千條手臂，有些在頭部周圍有十多張臉。正是這樣，它們才能釋放超自然的美與莊嚴。看似牽強，但這些不只是為了美或有趣才設計的。在教義中，信徒從手指的交叉方法，到身上穿戴的小飾物都有嚴格的規定（即儀軌）。每一尊佛像當然也是根據這些規矩設計打造的。本書最後一章討論的庭園同樣如此。就拿置石組合來說，每個時代都有不同的制式，須彌仙、蓬萊島、鶴島、龜島、主人石等，每一處設計都充分考量過巫術層面的含義，包括吉凶與禁忌。

如今我們還能搞清楚佛像和庭園中的規矩，再過一段時間，規矩背後的含義便會被掩埋、沖淡，只留下作品本身。見到它們只覺得不可思議。我們覺得繩文土器形態奇異，也是這個原因。

然而，這種神秘不一定是我們能夠想像的。原始社會也有神秘觀，但在當時人看來，肉眼可見的世界和不可見的世界直接相連，當中沒有隔絕。法國著名社會學家路先．列維－布留爾（Lucien Levy- Bruhl）提出的互滲律（participation），說的就是這回事——某個種族的人相信自己是人，同時也是袋鼠，並不覺得其中有任何矛盾。這就是所謂的前邏輯思維。

今天要抓的獵物是一隻鹿，同時，也可能是一塊石頭、一個土偶或一個人（甚或某種更抽象的東西）。原始人堅信這幾個概念之間存在特定聯繫，才會認為要抓住某隻鹿，就要對某塊石頭或某個土偶施法。

在我們看來，若讓一隻鹿同時也是一塊石頭，必然要借助某種神秘的媒介。但原始人不這樣認為。在他們的思維體系中，鹿和石頭不需要媒介就可以直接聯繫在一起。

弒神背後的焦慮與危機

聯繫上文介紹的世界觀，繩文土器的紋路一定比現代人想像得更具體現實，也更貼近生活，與其他事物或觀念緊密相關。至於紋路的那端連接著什麼，今天的我們無論如何也不可能弄明白。

然而，我能清楚地感受到激烈而繁盛的神秘美感深處的精神，和跌宕起伏的、戲劇化的本質：狩獵時期的生活方式包含的悲劇情結與矛盾（如對同一對象愛恨交織、心中同時存在兩種相反的情感、十分混亂等）。

對狩獵民族而言，獵物就是激戰對象，是必須打倒的敵人。與此同時，人又必須吃掉獵物才能生存，「打不到獵」可以立刻和飢餓、死亡畫上等號。換言之，人都由獵物主宰。所以，獵物才會無比神聖，變成原始人心目中的神。

獵物是凶暴的動物，威脅人的生命，直接加害於人。但要是不吃牠們，人就無法生存——「獵物」的概念中，包含著這一危機，因此原始人才將其視作聖物，賦予宗教意義。

如此看來，原始人無時無刻不在手刃他們不容侵犯的神。相反的，正因有了侵犯，神才成為真正的神。

按照今人的常識，上面的內容似乎不太好理解。各位不妨試想：如果一樣東西全無遭遇侵犯的風險，人們必然不會敬畏它、珍惜它。那它又怎麼可能神聖呢？正是以侵犯為某樣事物存在的前提，使它時刻處於被侵犯的危險之中，它才會昇華成「神聖之物」，對「神聖之物」的侵犯也會被視為禁忌。

右｜繩文時代土偶，新潟縣出土。藏於東京國立博物館。
左｜繩文時代土偶，青森縣出土。藏於明治大學考古學陳列館。

而且在原始社會中，「吃神」是最神聖的儀式。

比如剛才提到的愛努社會，熊是所有神格中的主神，也是人們的主食。對愛努人而言，熊還是威脅生命的最可怕的猛獸。

熊祭中，愛奴人用最盛大、最具象徵意義的儀式弒神。每個參加儀式者都會分得熊的血肉，流淚安撫熊的亡魂。親眼見識一次，你就會明白我所言不假。

英國民族學家詹姆斯．喬治．弗雷澤（James George Frazer）的《金枝》（*The Golden Bough*）一書，通篇都能佐證我的觀點，可見全世界任何一個民族的原始社會都存在共通的情感。因愛而恨、因恨而愛是深藏在人類本能中的矛盾心理。無奈，生活在今天的我們很容易將人類生命中的極致矛盾拋諸腦後。但那才是我們必須面對的本性，也是藝術層面的一大課題。再展開談就要岔題了，還是另找機會與大家探討吧。

總之，上面介紹的矛盾規律正是原始人極具悲劇色彩的生存條件。他們認為不舉行嚴肅的宗教儀式就無法打獵。這種觀點絕不是出於單純的功利心，宗教儀式針對的是他們生命中的極致矛盾，是極為嚴肅的人類活動。

宗教儀式的背後是焦慮與危機。人被強大的矛盾撕扯，又忍受、克服了撕扯的痛苦，顯得無比堅忍。據我所知，沒有哪種藝術形式比繩文土器更能彰顯這樣的性格。

看到這裡，也許有讀者聯想到富有近代色彩的人性悲喜劇。但我前面也提到過，原始人的堅持完全不同於現代思維體系中的悲劇與糾葛，它們與物質相呼應，更貼近生活。

原始人泰然自若。正如我反覆強調的，他們原始的堅毅與豐盈是建立在與超自然世界激烈而真實的溝通之上。自然與人類的生命平衡是神秘的、自然的，是動態的、辯證的。隱藏在詭譎、厚重、猛烈到極點的土器之美背後的，同樣是可以用這些詞彙形容的、與四維空間的對話。

在這一章中，我們重點探討了繩文文化的形態及其深處的世界觀。不過，我的意圖不只在此。更切實、重要的問題是「我們能從繩文土器中汲取什麼」以及「要在何種層面與它來往」。繩文土器的確傑出，但它們終究屬於過去。我們必須正視今日的現實，活得更激烈、更頑強，將我們的態度充分凝練於藝術中，否則一切都是空談。

我們無法再與四維空間對話，但可以效仿原始人與超自然界溝通的態度，直接接觸同樣看不見、摸不著，卻在現實中向我們強加壓力的問題。這些問題不拘泥於美學領域，兩個世界的冷戰或熱戰，氫彈突然爆炸，莫名其妙、突如其來的金融危機等，這一切就如同原始社會的神靈，在現實中侵擾著我們——且不論此處的「侵擾」是褒還是貶。

這些問題與藝術看似沒有直接聯繫，人們往往會將二者分開考慮。這就有了「為藝術而藝術」的迷茫。僅以興趣愛好作為基礎的樂觀主義美學，僅僅視藝術家為工匠，認為他們與社會現實脫節，是封建手工業時代的糟粕。關於這一點，我已經在《今日的藝術》中做了詳細的論述。

在如今進退兩難的現實中，大多數藝術家仍拘泥於他們的「藝術家意識」，深陷迷茫卻百般掩飾自己的無力，一天到晚吊兒郎當前邏輯思維。這是何等的不堪。

不面對這些肉眼看不見卻分外鮮活的事實，不正確把握它們的意義，不撕裂自己，我們在現實與藝術層面就永遠是無力的。

但不能反過來將這種溝通神秘化、唯心化，否則就會墜入形式主義的深淵，那是澈底的墮落。

繩文式原始藝術有非精神主義的性格。各種神秘與超自然元素都泰然而精彩地融入了原始人的生活，且帶有積極的真實性，一點也不唯心。

其實不用我多說，大家看看繩文土器就行了。它激烈卻不牽強，美感中沒有一絲一毫遷就觀者的媚俗。在這種頑強與淡定中，我們完全看不到現代人思維體系中的目的與意義。甚至可以說，這就是無意義的意義。

應該將這種淡定、明朗而爽快的態度引入我們的生活，轉化成藝術的內涵。

放眼世界，或者回過頭來，聚焦身邊的現實。周遭的變化是我們做夢也想像不到的。多年來，情趣主義與形式至上打著日式傳統的旗號，孱弱而平淡，毫無突破，逐漸失去了對抗新現實的力量。我們今後必須以旺盛的生命力與智慧，打通眼前這條死路，吹散封建日本陰暗潮濕的氛圍，親手締造一個全新的時代。

第三章

光琳——無情的傳統

光琳

《燕子花圖》屏風

《紅白梅圖》屏風

真空中盛放的藝術

年輕時，我在法國生活過一段時間。當時（一九三二、一九三三年），我參加了一場名為「抽象－創造」的前衛抽象藝術運動，一面顛覆繪畫領域的自然主義傳統與形式，一面探究更新、更具現代性的造型靈感。

某日，我如往常一樣走在巴黎拉丁區的聖米歇爾大道，漫不經心地瞥向街角書店的櫥窗，竟然看見了光琳的《紅白梅圖》。

這幅畫闖入視野，牢牢抓住了我全部的注意力。

我的第一反應是：「從沒見過這樣的日本藝術。」之所以年紀輕輕就捨棄已有技術跑去法國，投身抽象藝術運動，是因為對以往的藝術形式產生了懷疑與絕望，尤其是日本所謂的「傳統文化」，我只覺得孱弱陰暗，厭煩透頂。如果這是早已融入我們血肉的命運，那麼當代日本青年必須先將其澈底捨棄、澈底否定——我當時就是這樣抵觸日本藝術，其中還帶有幾分自我厭惡。

現在想來，我的直覺是正確的，但不該把所有傳統藝術一棍子打死。《紅白梅圖》讓我第一次意識到自己的錯誤。

那幅優美至極的屏風畫一點也不纖弱。它激烈、強健、單純、犀利，美學與造型性趨於完美。

人們總以為點到為止、含蓄、模稜兩可、隱晦是日本美術的特質，認為這些代表著靈活。但《紅白梅圖》與這些形容詞根本不沾邊。畫作沒有借助破墨的韻味或裝腔作勢的留白逃避現實，而是正面與觀者碰撞，將矛盾推到極限。

它和那些文人畫不同，畫面充實以致題詞的空隙都沒有，甚至角落裡的落款都可以略去。

邂逅這幅畫之前，我從沒見過這樣勇於與觀者正面交鋒的日本畫。

在巴黎市中心，在這座石頭砌成的華美古都，在各種奢華的刺激與噪音之中，光琳的複製畫作泰然、犀利而鮮明地存在著。這無疑是一件不得了的大事。

光琳——曾幾何時，我的祖國有一位名叫光琳的藝術家，留下了如此優秀的作品。這讓我倍感欣喜，並對日本藝術重新燃起無限的希望與激情。

當然，光琳的作品有獨具一格的日式審美觀。它同時也完美契合了世界藝術領域的最新課題——抽象畫的造型。對古代傳統美術作品產生的感動，也讓我重新認識到極力強調近代造型的抽象畫結構有多重要。這幅畫讓我對血脈中的民族性和我當時著力推崇的前衛藝術前進方向，同時產生了強烈的認同感。

後來，我在巴黎被德軍占領之前逃回了日本。不久後，日本也加入戰局，我被迫踏上了漫長的軍旅生活。

上戰場前的那年夏天，根津嘉一郎先生在自家府邸展出了許多寶貴藏品，我有幸看到了六曲一雙的《燕子花圖》屏風，對光琳的欽佩愈演愈烈。與其他美術作品相比，這幅畫的氣勢更為恢宏厚重，也更華麗。它的構圖直白淡漠，不刻意製造任何韻味與機巧，卻孕育了驚人的震撼力。

現代的日本式教育，真能讓人們充分理解光琳的偉大嗎？回國後我經歷了很多，每一次經歷都讓我深刻體會到，組成今日日本文化的氛圍已和光琳的世界截然不同。

這個疑問，在我腦海中縈繞至今。

光琳生於元祿年間。他創造出絢爛、強大的作品時，日本正值近世文化的全盛期。近世文化的誕生地京都，是王朝到桃山時代貴族文化傳承的古都。近世文化需要依託新時代的旗手——正在崛起的町人階級特有的富裕與新鮮活力開枝散葉。它精彩、爽朗，骨架與肌理和今天的小市民文化截然不同。

不久，日本確立了封建制度，德川幕府對町人的壓迫政策也隨之顯現。尤其是《享保節約令》頒布後，近世文化的明朗與豪放遭到屏蔽，具有官僚色彩的形式主義大行其道。閉關鎖國的影響也在這一時期逐漸凸顯。文化失去了發展潛力，生活的活力無處宣洩，一切突然變得寡淡、灰暗。藝術失去了厚重絢爛的氣息，格外世故，也愈發纖細。

町人階級當然也反抗過，具體表現為浮世繪版畫的隆盛。庶民藝術多姿多彩，但在精彩與爽朗這兩方面遠不及光琳。

江戶後期的政策性扭曲是不幸的。正是這種扭曲造就了當今日本人的品味。達觀的韻味，或者閒寂素雅都是消極世故的表現。這本不是日本傳統應有的姿態，今日的「權威」卻將之奉若正統，大加讚揚，甚至用官僚做派統治藝術創作意識。如前文所述，這才是日本文化的不幸。

受這種風氣影響的人，怎麼可能正確理解光琳的藝術、真正對光琳產生共鳴？下面就讓我們深入剖析這個問題。

我在其他書中也提到過，一稱讚光琳，人們往往會立刻搬出「宗達」。根據我多年的經驗，多數人對宗達的評價更高，看起來也是打從心底裡喜歡他。光琳的作品過於厚重絢爛、太有威懾力，討不到有藝術素養的愛好者的歡心。這個現象中隱藏著一個關鍵點，我姑且將宗達和光琳比較一番，邊對比邊分析。

為什麼宗達更討喜？

也許這是因為宗達與迄今為止的日本文化人之間存在某種情感紐帶。光琳則不同，雖然也是徹頭徹尾的日本人，他呈現給人們的卻是一個迥異的無情世界。

我們不妨仔細瞧一瞧兩位藝術家的作品。

宗達《源氏物語》屏風《關屋圖》（六曲一雙），
江戶時代元和、寬永年間。

宗達的《源氏物語》屏風相當讓人愉快。它具有傑出的裝飾性，同時引人入勝，悠遊畫中。他的作品不會使人緊張。觀者會被柔軟的情緒包圍，安心享受一種優美而敏感的和諧。這是一種不會淪為裝腔作勢的褒義風雅。用一句聽上去有點奇怪的話形容：彷彿畫的另一面真的存在一個世界支撐著這幅作品，似乎有一種溫暖的氛圍從那裡滲透過來，畫裡的梅花、房屋、人和地面都浸潤其中。這種復古的情調，轉化為難以名狀的人情味。如今藝術界盛行的、普通鑑賞者跟風追捧的日本自然主義，即帶有生活主義色彩的私小說世界，其實就是徹頭徹尾的情緒依賴，是以某種安心感為前提而存在的。在這樣的社會大

光琳《燕子花圖》屏風（局部）

環境下，宗達的世界的確易於接受，也完全契合人們的感情觀念。

那光琳的《紅白梅圖》與《燕子花圖》呢？看光琳打造的畫面，必須時刻保持日常少有的緊張感，甚至懷疑自己要被畫面中的衝擊力掀飛。光琳的世界無法讓人從情感層面產生依戀。

光琳的畫面是獨立的，紋絲不動。我們能在宗達的作品中聽到微風輕拂的微弱響聲，光琳的畫面則清透而乾脆，將一切拒之門外。

它甚至不允許鑑賞者做夢。

還有一個不得不承認的可怕事實——光琳的梅花，根本無法讓人感受到真梅花的氣息。乍看之下，畫中大片湧動的水形成優美的水流。但仔細觀察，你會發現水面上沒有任何東西漂動。成片的燕子花周圍沒有土壤也沒有水，一團團湛藍的花瓣分明盛放在真空之中。

拒絕一切幻想與回憶。除去這幅畫面，世界空無一物——可謂是日本藝術史上極為罕見的傑作，充斥著無情之美。

很明顯，光琳的畫面構圖建立在堅實的邏輯上。無比正確，無比縝密，無比澈底，沒有給風情、韻味留下絲毫餘地。一切都在預料之中，是精心設計的結果。在被完全掌控的畫面中，找不到類似「神來之筆」的偶然；一切都承受了殘忍、無情的變形，不存在一點妥協與情感上的模糊。這是一種值得驚嘆的無情之美。

日式庭園有「枯山水」之說，這是一種獨特的表現手法，不用一滴真水，只用沙石便可呈現巨大的瀑布與滔滔不絕的溪流。光琳的作品比枯山水更甚。畫面上明明有水，觀者卻完全感覺不到。相比枯山水，《紅白梅圖》更讓我震撼，從而真真切切地生出對藝術的敬畏。

能感知水的存在又如何？即使想方設法創造出水的替代品，觀者也只會覺得：「哦，這是水啊。」那不過是流於表面的模仿。

光琳的《紅白梅圖》與《燕子花圖》沒有玩這些小把戲，他精彩地刻畫了自然，卻絲毫沒有落入自然的窠臼。只有沒有水也沒有空氣的真空世界，才能打造出極致的緊張與無情的空間。

人們普遍認為日本繪畫是平面的裝飾性畫作。確實有很多作品能佐證這種觀點。然而，光琳的作品同時擁有裝飾性和驚人的空間性。

我堅信，藝術領域的空間只有兩種：要麼是絕望的真空與虛無，不透一點空氣；要麼就塞得滿滿當當，不留一絲縫隙。

有空氣流通的空間不過是自然主義的誑騙，既感傷又庸俗。今時今日，我們周圍的繪畫作品幾乎都安於這種狀態。這讓人無奈又憤怒。

如果繪畫真的比雕塑有優勢，那它的優越性必然顯現在將三維的立體與空間性融入二維畫面的反自然行為中。不過，在此所言的立體，絕不是文藝復興後唯心且機械的透視畫法。透視畫法只是一種騙術，讓眼睛對單純的距離與空氣流動的自然空間產生錯覺，無異於假像畫。(即視覺陷阱，文藝復興後的西歐學院派畫法。通過添加陰影實現立體感，以假亂真。)即使在今天，學院派炮製的這種落後於時代的繪畫技法之贗品，依然為人們所傳承，彷彿它才是正宗。試圖用視覺偏差表現鮮活的立體感，是近世繪畫界犯下的大錯。

十九世紀以來的自然主義將空氣帶入畫面，那樣一種曖昧的氛圍，給赤裸之物彼此激烈而粗暴的決鬥，蒙上了一層面紗，創造緩衝，利用人類卑賤的本性，掩蓋不得不正視的現實真相。

藝術層面的造型方式，只可能通過我剛才說的物與物、形與形的正面交鋒實現。為了擺脫透視畫法的錯覺，對它產生新的認知，塞尚立體派、前衛藝術的各流派都付出了諸多努力。他們留下的軌跡依然清晰可見。也可以說，他們投身於一場將空氣趕出畫面的戰鬥之中。

所以我才要強調：光琳的世界是真空的。真空才能呈現它極致的緊張與豐富的造型空間。

明快的構圖與線條自不用說，連色彩也不例外。光琳的色彩選用罕見地大膽與純粹。光是這一點，就足以讓他在日本繪畫史上贏得一席之地。

《燕子花圖》屏風——巨大的金色畫面，畫中景物只以群青與綠青勾勒，不僅構圖新穎大膽、極致完美，更採用鮮明的原色為主色調，配以精準的輔色，實在太不可思議了。它一腳踹開「韻味」、「細膩」等所謂日本藝術的面相與特質，全然不把人放在眼裡。彷彿拒人於千里之外，卻沒有絲毫的炫耀。

湊近觀察每一筆、每一畫，都能感受其中的狂妄、厚重與難以捉摸。可通覽整幅作品，細膩與絕對感卻占據了畫面。究竟是為什麼呢？這幅屏風的神奇著實震人心魄。

這才是真正的純粹，可惜人們總是一味地從感傷與情緒的層面去解讀。

邏輯、無情、純粹才是光琳美學的本質，他的作品也因此才能如此宏大且極具國際風範。在巴黎市中心意外邂逅光琳時，我之所以體驗到被雷電擊中似的震撼，正是因為他抓住了藝術的本質，並將這個課題擺在了我面前。

新興町人的精神與貴族特性的衝突

光琳藝術有日本藝術中非常罕見的無情之美。它的根基是什麼？和所有偉大的藝術家一樣，支撐光琳的正是深植內心的激烈矛盾。

光琳的畫面實現了大膽的抽象化與裝飾化。乍看之下，很可能會誤以為畫中奔放與強韌的氣息是在全無矛盾的情況下，以樂觀的態度為背景創作的。然而，如果認為「表現之明快」可以和「內容之單純」畫等號，那便大錯特錯了。

無論技術層面還是精神層面，明快的背後都暗藏避無可避的矛盾。克服激烈的對立使緊張性愈發清晰，我能感覺到看似穩固的面貌下潛藏著血淋淋的傷口。而且我們必須認識到，這種犀利只能通過反常的方式實現。

甚至可以說，那就是真實的、有革命意義的藝術誕生的絕對條件。無論何時，唯有本質性的矛盾才能從生命深處撼動，進而驅動人心。

當然，矛盾也會以技法形式表現在畫面中。不過分析技法之前，還是來看看光琳的創作背景，也就是他的生活、環境、教養、出身和所處的時代吧。鮮明的矛盾在這幾方面都有所體現。概括而言，就是化作血肉支撐光琳的、蓬勃發展的新興中產階級精神與貴族特性之間的矛盾。這對矛盾顯然是複雜而有機的，不能輕易蓋棺定論。但我想就其中尤為重要的幾個方面與大家探討一番。

光琳大部分的人生是在元祿年間度過的。在那個年代，他所屬的階級過著怎樣的生活呢？

進入平安末期，尤其是應仁之亂（一四六七年～一四七七年）後，日本全境都陷入戰國動亂。後來，德川家族逐漸確立自身權威，幕府施政也日趨穩定，在全日本建立起穩固的封建制度。於是社會生產力顯著提升，商品與貨幣組成的流通經濟愈演愈烈。然而，這令以土地經濟為基礎走向興盛、手握重權的封建武士階級感到不適。不僅如此，他們還對金錢不屑一顧。受儒教道德體系影響，武士階級甚至視金錢如糞土，整日與金錢打交道的商人也連帶成為他們鄙視的對象。從「士農工商」這個詞就能看出，商人在四民中地位最低。正因為武士輕視賺錢與商業，對此漠不關心，町人階級才成為一手撐起商品經濟的中堅力量，掌握了前所未有的巨大財力。不用多久，他們的實力、自由與活躍程度，就澈底超越了這個國家的武士統治階級。

光琳出生在町人階級的全盛時期。他是京城豪商「雁金屋」的次子，生於萬治元年（一六五八年）。

在那個年代，「富有的商人」究竟是怎樣的群體呢？江戶中期儒學家太宰春台曾如此寫道：

今世諸侯無論大小，都低三下四，向商人討借，靠江戶、京都、大阪和其他各地富商的援助才能維持生計。……債主隔三差五上門討債，只得連連謝罪，不得片安寧。見到子錢家（高利貸），便彷彿見到鬼神一般驚恐不已，不顧身分，伏於町人腳旁，或將祖傳古董寶物典當，解燃眉之急。武士家終日飢腸轆轆，子錢家卻珍饈不斷。

——引自《經濟錄》（経済録）

蒲生君平也曾戲言：「大阪富商吼一吼，天下諸侯抖三抖。」雖然這句話是之後的化政時期（一八〇四年～一八三〇年）留下的，但用來說明當時的情勢也很形象。

光琳出生成長的尾形家雁金屋，就是如此了得的富豪。光琳、乾山兩兄弟的父親宗謙留下的財產轉讓書也足以得見：「金銀可向諸大名取回……由你與權平（弟弟乾山）平分。」

緊扣實物的具象和特有的鮮活折射出崛起的町人階級的全新心態。讀一讀談林俳諧與井原西鶴的《浮世草子》，就能切身感受到當時町人經濟的活力和新興中產階級的真性情。

這樣一群人自然難以接受德川幕府御用畫家（如狩野派）倡導的學院主義，對過分拘泥形式、分外唯心的藝術形式產生牴觸。光琳藝術之所以自由奔放，並帶著別具一格的神韻橫空出世，也有這方面原因。

那時，各類文化的中心仍在京都。除了自平安時代（七九四年～一一八五年）一脈相承的優雅、華麗的貴族傳統，新興町人階級也在元祿年間活力煥發，有如星星之火，綻放出厚重絢爛的花朵。可以說，這是日本傳統最精彩的一面閃現的最後一抹光輝。

此後，文化重心轉移到江戶。效仿傳統的形式主義使各類文化愈發貧瘠。完全僵化的封建制度甚至切斷了社會發展，最終幕府政治走投無路。為政者試圖使用毫無主見、敷衍了事的政策，解決各類政治、經濟危機，如利用經濟力量打壓威脅武士階級的町人階級等荒唐行徑，具體顯示在以《享保節約令》為首的各項政令。與此同時，閉關鎖國使日本無法從國外汲取新的文化養分，這也在精神層面對日本產生了決定性影響。在慘遭封閉、壓制的世界中產生的扭曲，必然會體現在文化的方方面面，例如幕府尤其重視的儒教特有的權威性、概念性學院主義思想，又如陰暗世故的小市民思維。無論哪種情況，框架都已預先劃定，人們只能在極其有限的範圍內嘗試些許變通。於是乎，便催生了我在序言中提及的「背面文化」。

日本的傳統就這樣失去了原有的爽朗與精神內涵，藝術家逐漸淪為裝腔作勢的馬屁精。他們打趣、說渾話、賣弄，讓腳踏實地的人撲空，拿自己的人生開玩笑。就連出席父母的葬禮，也要隨口說幾句玩笑話逗樂。這種奇詭的「氣度」，成了江戶人的代名詞。建立在如此社會基礎上的藝術與文化，必然愈發世故、老成。但直至今日，仍有許多所謂的「藝術家」沒有澈底擺脫這種低俗的思想。

光琳在世時，世道尚未發展到如此糟糕的地步。人還能堂堂正正地做人，和社會正面碰撞。町人也有階級局限性，但天花板下還有寬廣的天地。他們自信並驕傲，絲毫沒有自我貶低。

他們無拘無束地、自由自在地、正確地表達自己，抬頭挺胸，直接拋出觀點，不讓步也不退縮。光琳就是生活在這樣一個強而有力的時期，見證了時代的巔峰時刻。這份魄力支撐著光琳藝術的精彩與內涵。

雁金屋歷史悠久。光琳的曾祖父道柏是豐臣家的御用商人，專為貴人置辦織染布料。相傳阿淀夫人對光琳的祖父宗柏關照有加。後來，德川幕府第二代將軍秀忠的女兒在元和六年（一六二一年）入宮，成為後水尾天皇女御。她入宮時帶去的衣物，都由御用商家雁金屋一手置辦。

這也就是說，光琳從小就接觸最高級、豪華、絢麗的衣飾與布樣冊。正所謂耳濡目染、無師自通，華麗而優雅的裝飾賜予他一雙鑑別優劣的眼睛與過人的技術。雖然今人找不到光琳學習、從事家業的史料，但從他的出身，不難判斷他肯定接受過相應的訓練。

雁金屋長子藤三郎在光琳年幼時被逐出家門。弟弟們想方設法，好不容易才把他接回家中，當時光琳已經二十六歲了。而在長子回家的兩年前，父親宗謙已過了花甲之年。留給他的時間不多了。這個年紀的人完全可以退居幕後，讓下一代接班。既然長子指望不上，次子光琳繼承家業便順理成章。由此可以認定，光琳接受過大量為繼承家業做準備的訓練。

如果裝飾只是傳承中的固定模式、被模仿的對象，那也就罷了。但在元祿前後，町人階級腰纏萬貫，市民文化爭奇鬥豔，人人勇於創新、銳意進取。不難想像，這樣一個時代，時髦的設計在商業領域很有必要。今日的流行不也日新月異、瞬息萬變，叫人眼花繚亂嗎？當年恐怕也是同樣一番景象。

從奈良時代到平安時代，再到鎌倉、室町時代，有職紋樣在貴族階層代代相承。那是一種高度形式化、端莊肅穆的唐風圖案。由大和繪式的山水花鳥與四季風光演變而來的花紋，也相當鄭重嚴肅。但在以豪華絢爛為特徵的桃山時代過後，江戶初期的文化繼承了對華美的喜好，保留一定程度上的爽朗與自由，同時進一步昇華，呈現出城市化傾向。

有職紋樣 —— 五襲女衣（局部），鎌倉時代。

光琳獨具一格的近代寫生式紋樣，就此應運而生。他心懷自由的精神，站在唯物角度從自然重新出發，發現新的美，以粉碎帶有貴族色彩的形式主義，設計的樣式備受世人追捧。（友禪紋樣是日本特有的印染布，直至今日仍是彩色印染工藝的代名詞，光琳也對友禪產生了巨大的影響。）不久，

光琳小袖，秋草紋樣（局部）。

這種樣式就走向頹廢，形式化為所謂的「琳派」，淪為又一種固定模式。不得不說，這既是酒井抱一之功，也是他的過錯。他在化政時期模仿光琳畫風，創作出《光琳百圖》等作品，為光琳藝術的普及做出一定的貢獻。到了明治大正時期（一八六八年～一九二六年）就更不用說，此舉的影響甚至一直延續至今。所以，用「琳派」去評判光琳是最危險、最錯誤的。

言歸正傳。要用全新的設計呈現草木等自然主題的裝飾，首先要用一雙新鮮而執著的眼睛，去觀察設計原形，也就是四季的花草林木。若要推陳出新、突破傳統，那麼即使觀察對象是司空見慣的尋常事物，也必須體會重新發現的感動，學會如何發現。

光琳的確很擅長觀察草木。學界普遍認為，除了所屬階級的現實性，特殊的環境也造就了光琳藝術特有的具體性與直接性。相傳光琳在鞍馬口建了一座花園，時常去寫生。他小西家的後人還保存著光琳的畫簿，其中有不少精準入微的鳥獸寫生。

但請大家注意，光琳自身的新興中產階級現實主義與對立的貴族式抽象主義，依然在他心中發生著激烈的矛盾。我們先從環境和教養的角度考察一番吧。

尾形家原本與著名的「藝術貴族」本阿彌家是姻親。光琳的祖父宗柏是本阿彌光悅（本阿弥光悦）的姐夫。鷹峰的藝術家村是光悅牽線建立的，許多本阿彌家的人都在那裡建了宅邸，宗柏也是其中之一。這便是尾形家與藝術的淵源。

以光悅為中心的「富裕藝術貴族」對新興武士階級在文化層面的空虛，尤其是德川氏偏重儒學的學院主義持批判態度。雖然貴族們以某種形式拿著統治者德川氏或相關大名發放的俸祿，但真正讓他們感到與有榮焉的，還是宮廷貴族的高雅藝術。這種藝術高貴、豐裕而有格調，想必這份教養與自信，也是藝術貴族存在的理由之一。千利休的第三代傳人千宗旦與他們生活在同一時代，他也一次次地拒絕了江戶將軍家的邀請，在京城清貧度日，還得了個「乞丐宗旦」的綽號。據說光悅只在江戶待了兩天就忍不住了，當時的京都文化人似乎都有這樣的氣概。

光琳出生長大的尾形一家，似乎也過著貴族般的生活。他的父親宗謙是一位全能雅士。常習光悅流書道，在繪畫、能樂、茶道等方面都有極深的造詣。光琳自幼在父親身邊耳濡目染，又是御用商人雁金屋的子弟，常和貴族來往。據史料記載，他經常出入二條家，陪同貴族子弟修習能樂。

在前面言及的轉讓書中，宗謙明確表示要將一套能樂道具留給光琳，足見光琳確實精於能樂。光琳藝術也有嚴謹的一面。那不留任何縫隙、冷酷至極的結構，恐怕在很大程度上受到了這種貴族式形而上抽象藝術素養的影響。

在畫工方面，光琳剛起步時曾深入學習狩野派的技巧，也研究過大和繪的傳統。極具個性與革命色彩的光琳藝術離不開他立足的根基，這其中包含貴族式的正統性。他本著堅毅、辯證的態度，勇敢克服了正統性與新興階級自由性、現實主義之間的矛盾。

在光琳藝術中，我們能看到貴族式傳統和打破這種傳統的藝術，此二者展開了規格最高也最為激烈的拼殺。這是貴族式傳統綻放出的最後一抹光芒。與此同時，新時代也在與舊傳統緊張對立的過程中，呈現出最鮮活、最具生機的面貌。

然而，相互對立的兩極矛盾只能去克服，絕不會被消滅。它們不會煙消雲散，也不可能被隨意雜糅成某個作品呈現出來。

矛盾中的一方往往會呈現為作品的主調，另一方則包含其中。這種極端激烈的衝突，讓光琳的每一件作品都迸發出鮮明的個性。只不過，那些無法觸及藝術真諦的旁觀者與風雅之士，可能會將這種激烈的拉鋸歸為天才的多面性或心血來潮。

藝術家的反時代精神

下面我們結合作品，從畫作技巧上對這兩種極端做一番深究。在我看來，《燕子花圖》和《紅白梅圖》中所體現的矛盾最具體，也最具象徵性。

《紅白梅圖》著實嚴肅。濃烈的緊張感貫通到每一根梅花枝的頂端，靈魂繃得緊緊的。那是一種帶有貴族色彩、莊嚴而尖銳的音調，彷彿高聲奏響的能樂。

《燕子花圖》則呈現一派繁盛的景象。畫面中透著精巧與奢華。富裕市民的樂觀主義是它的主調。

這兩幅作品形成了對比鮮明的兩個極端，同時值得注意的是，它們都離不開另一個極端的元素支撐。靜心觀賞，你會發現燕子花的精彩建立在嚴肅的氛圍與整潔的秩序

光琳《燕子花圖》屏風（局部）

上；紅白梅衝天的樹皮盡顯貴族的犀利，扎根大地的樹根與枝幹以及寬闊的流水，分明透出讚美現世、遊戲人間的市井氣息。

此前我說光琳的畫感覺不到絲毫自然氣息，畫面中沒有水，甚至沒有空氣。看到這裡，可能有人覺得我自相矛盾，其實不然。光琳藝術包含針鋒相對的兩個極端，而且雙方旗鼓相當，一步不讓。絕不妥協的精神，使矛盾極度緊張。兩股激烈對峙的力量呈現出絕對靜止的均衡，在那一瞬，時間和空間都消失了。凝視這幅無情的景象，你自然會明白我之前所言不假——美麗的水面上空無一物，群青色的花瓣彷彿綻放在真空之中。

光琳《紅白梅圖》屏風（局部）

然而，絕對的靜對應著絕對的動。它是死，同時也是生。若是將畫面視作動與生的呈現，激烈相克的矛盾也會隨之表露，緊張高亢的節奏便響徹天際。

光琳藝術的矛盾，在他藝術生涯的兩大傑作中表現得淋漓盡致。不過除了這兩件切入本質的作品，矛盾還以一種膚淺的反常體現在他的生活中。下面介紹幾件廣為流傳的「光琳軼事」。

前文提到，這個時代的町人坐擁萬貫家財，趾高氣揚。他們的生活異常奢侈，級別不夠高的武士望塵莫及。

「東山賽衣」一事充分表現出這點。豪商石川六兵衛之妻為了和京城難波屋十右衛門夫人一爭高下，特意從江戶遠赴京城。雙方代表擇良辰吉日，召集富貴人家的女眷齊聚東山，舉行了一場豪華絢爛的賽衣大會。換言之，就是一場為東西兩大陣營的名譽而戰的時大賽。

賽場上，一位參賽者別出心裁，令人眼前一亮。其他人都是怎麼華麗就怎麼來，只有她選擇了純白色的內襯，外套一件黑色的羽二重小袖。每個人都換幾次衣服，唯獨她怎麼換都是黑白兩色，反而在一眾花花綠綠的衣飾裡脫穎而出。再加上環繞她的侍女們穿得豪奢無比，更顯出她的優雅。這個劍走偏鋒的女人正是光琳的資助者，中村內藏助的夫人。

與眾人極盡奢侈之能事不同，中村夫人反其道而行之，一舉摘得桂冠。當然，這離不開丈夫內藏助的暗中支持：相傳給中村夫人出主意的，正是投靠內藏助的光琳。

還有一段軼聞。某日，光琳與銀座的富豪們一同乘游船去嵐山賞花。午膳在船上用。當大家不約而同拿出豪華便當大快朵頤時，光琳竟掏出一個寒酸的竹皮包袱，啃起裡頭的飯團來。大夥紛紛看向包裹飯團的竹葉，有些人好奇，有些人則帶幾分鄙夷。不看還好，一看方知其中乾坤，竹皮背面竟繪有金光閃閃的泥金畫，花鳥山水，好不精彩。

光琳對眾人的驚愕視若無睹，不緊不慢地把飯團吃完，隨手把竹皮丟進河裡。

許多人覺得這類奇聞軼事不過是反映了城裡人裝腔作勢、故弄玄虛。但我認為這個故事極具象徵意義，充分表達了藝術家與時代的矛盾，和光琳要做一名藝術家的決心。

光琳是走在時代前線的驕子，與此同時，他對自己的處境又有一定的反叛。他在上面兩個故事中的表現，就是對周遭町人的虛榮做出尖銳的表態。時代賜予他財富與知性，他卻反過來嘲諷時代和那些極盡奢侈的富裕町人。本質上，這種態度必然是在挑戰自己的成熟感性與「城裡人」過猶不及的自我意識。也許有讀者覺得我的詮釋太現代化，但沒有反時代的精神矛盾，就無法孕育出今日依然能打動我們的藝術。正是這種帶有諷刺意味的挑釁，才讓畫面流露出一股霸氣，和令人毛骨悚然的氛圍。

（除此之外，光琳還有澈底顛覆傳統搭配的作品，比如紅葉配仙鶴、櫻花配小鹿等。不過，這應該不是他的原創。）

說句題外話。換個角度來看，我們也可以說，正因為這個時代的町人生活有極高的自由度，過激藝術家的譏諷才能別出心裁，被人們接受。

說到底，藝術家的自由度是由他所處的環境決定的。光琳能創造出如此自由奔放的藝術，也多虧了當時海納百川、心胸寬闊的時代氛圍。

超越自己

光琳豐富的獨創性離不開時代的支持與守護。從另一個角度看，我們也會發現：時代有它消極的一面，會在某種程度上制約藝術家。

封建社會，藝術的社會地位不高，藝術家不過是「藝人」或「工匠」。

即使在歐洲，「畫畫的」等同於「藝術」、「藝術家」也是十九世紀市民社會發展後的事。經過歐仁・德拉克羅瓦（Eugène Delacroix）、塞尚（Paul Cézanne）、梵谷（Vincent Willem van Gogh）等人的爭取與自省，完全自主的意識終於在二十世紀得以確立。到了明治大正時期，這種意識傳入日本，開始萌動。

曾幾何時，除了身分低微、賣畫為生的民間畫師，大多數畫家都受雇於掌權者和富人。這就意味著他們不得不妥協於「靠山」的口味與要求。有時他們連單純的工匠都算不上，淪為阿諛奉承之輩。

無論哪個時代，真正的藝術家都是鳳毛麟角，真正的觀賞者也少之又少。畫家的金主不一定真正理解藝術，恰恰相反，其中的大多數是讓藝術墮落的幫凶——他們對畫工的訴求要麼是「滿足虛榮心的華麗裝飾」，要麼是所謂的「精湛技藝」。

看到畫師隨手一筆便畫出惟妙惟肖的竹子，或振翅高飛的雀鳥，他們像欣賞魔術的觀眾似地拍手叫好，簡單直白地感嘆：「不得了！」這是何等荒唐之事。時至今日，事態也沒出現多少好轉。

如前所述，光琳出身於豪商之家，社會地位很高。四十四歲那年，還被授予榮耀至極的法橋稱號。不難想像，與同時代其他畫師相比，他享有得天獨厚的環境與至高的地位。可即使是光琳，也無法突破人們對畫師的固有觀念。

更糟糕的是，光琳在奢靡的生活中用盡了父親留下的萬貫家財。人過中年後，他曾一度遷居江戶，投靠深川的豪商冬木三左衛門（光琳為他繪製的秋草紋小袖〔第一〇四頁〕又稱「冬木小袖」或「光琳小袖」，非常出名），也食過酒井家的俸祿，當過專屬畫師。在他輾轉江戶和京都尋求庇護時，想必不得不屈尊於自己富工匠色彩的社會地位。

考察這一方面時，我們更需要重點分析光琳藝術的形式而非本質。也就是說，相較之前重點剖析的兩幅傑作，其他不那麼重要的作品更值得觀察。光琳也有不少媚俗、完全暴露所謂工匠本性的作品——它們澈底淪為「裝飾美術品」。在我看來，這就是光琳雖備受世人讚譽，卻依然有人斥其低俗之因。說得極端一些，若沒打造出為數不多的幾幅傑作，如《燕子花圖》、《紅白梅圖》等，光琳就只是一個創造出新穎模式的流行畫家，一定會淹沒在歷史的大潮中。

再看光琳作品的裝飾性。

分析《燕子花圖》與《紅白梅圖》時，我曾說畫面中的梅花讓人感覺不到梅花的氣息，水面也彷彿靜止不動。單從造型來看，這些現象意味著素材已經成為單純的手段，失去了本身的含義。人們通常會將這一點歸為光琳藝術的裝飾性，敷衍了事。這些作品的確有極高的裝飾性，然而究其本質，其中也包含與裝飾性截然相反的元素。事實上，藝術領域非比尋常的大問題就暗藏於此。

裝飾性與藝術的關係極其複雜，但不可否認的是，從本質上看，藝術的確站在單純裝飾的對立面。真正的繪畫可以有裝飾性，但絕不是純粹的裝飾，必須超越這個層面。

所以我們可以說：類似於光琳藝術的裝飾性繪畫若富有意境，超越裝飾，就是傑作。但它同時也很危險，稍有差池，就會淪為單調呆板的裝飾，變成空洞的非藝術。事實上，光琳的很多作品都屬此類。

那麼，在光琳的裝飾藝術中，成功超越單純裝飾層面的作品都有哪些呢？讓我們再次將目光投向《紅白梅圖》和《燕子花圖》。

在高度抽象化、裝飾化的畫作面前，除了震撼，我只覺得自己的眼睛已經什麼都看不到了。畫面中潛藏著某種難以名狀的恐怖。正如之前所說，我對盛開在某處的梅花與燕子花已經完全失去興趣，而是被畫面中的震撼力壓倒。這是一種強有力的詭異氣勢。

正因為這種氣勢以超越形態的方式迫近，我才摸不清它的具體形象，只能感受到它的存在。那是作畫者自己的姿態嗎？抑或是觀畫者的精神投射的倒影？——親身接觸傑出的作品時，所有人都會沉浸在這種超越自我的感動中。

總而言之，這種弔詭的緊迫感才是藝術的內容，它超越了裝飾目的，甚至讓人不快。與此同時，這又是一種超越快感的顫慄，一種複雜的矛盾，堅強的藝術意義就在於此。

再平凡的人，一輩子也會有一兩次直視自身，進而心驚肉跳的經歷。否則所謂的「人生價值」就是一紙空談。只有在這種靈魂亢奮期，作家才能對抗、超越自己，實現更高層次的自我。換言之，創作者只有這樣才能成為真正意義上的自己。這是一個無情的事實。

在我看來，超越光琳的光琳——光琳藝術的本質，就在於此。

所以，我才會將《燕子花圖》與《紅白梅圖》稱為無情之作。

第四章

中世庭園—矛盾的技術

庭園

京都大德寺孤蓬庵入口

京都大德寺孤蓬庵飛石

石

歷史悠久的庭園中，最吸引人的莫過於石頭。它們形態各異，個性與作用各不相同，讓觀者為之傾倒。石頭帶來感動。映出自然美的石頭，精心搭配的石頭，撫慰情緒、讓人平靜的石頭，有威懾力的石頭，種類不一而足。

這些照片沒有刻意分門別類，都是參觀庭園的過程中，我用照相機捕捉到的。我從中隨意選了幾張，從頁面效果出發進行了一番編排。照片比實景更有現代感。不過，經典總是需要從新的角度去審視。

京都龍安寺雨水溝

京都表千家蹲踞

京都本法寺庭園，據說是模仿日蓮修建的。

京都鹿苑寺飛石

京都二條城石牆

京都西芳寺開山堂前石階

京都大德寺孤蓬庵石牆

京都表千家露地

福井縣朝倉家宅邸遺址

京都西芳寺池畔凹陷處

瓦解

突然裂開、崩塌的瞬間，巨大的石塊會顯現最激動、猛烈的表情。

京都西芳寺向上關（門）通往洪隱山的石階

雕刻石材

京都大德寺孤蓬庵石燈籠

京都大德寺孤蓬庵「露結」洗手盆

鹿兒島市磯御殿（島津氏府邸）石燈籠

沙

銀沙灘獨具魅力，能在狹小的庭園中無所顧忌地打造出意料之外的恢宏。

京都慈照寺銀沙灘

京都龍安寺石庭

樹

在我看來，樹永遠與石相對。有機與無機、生與死的世界，就在它們之間安靜而頑強地鬥爭著。

植物生長過程中侵蝕、顛覆著石塊。破壞與充實，均衡與滅亡，慰藉與恐懼——庭園就是一個縮小的鬥爭舞臺。

京都妙心寺退藏院庭園

奈良當麻寺中之坊庭園，相互糾纏的樹根。

京都西芳寺黃金池夜泊石

水

據說日式庭園的水，比假山、樹木的歷史更悠久。我們的祖先渡過海天一色的汪洋，來到這座島國生息。這場遠古時代的冒險可謂是民族的象徵。為了紀念這段歲月，先人在庭園中設置了池塘。池中必有蓬萊山和夜泊石，喻示古人連夜行船，穿越重洋，經過一座又一座島嶼。這些傳統都是歷史的佐證。

池塘不僅是表現美感的裝飾，也不單純是水本身韻味的體現。池塘中藏著詩意、懷舊和神奇。

京都野村府蹲踞水渠

京都大德寺大仙院枯山水

京都鹿苑寺龍門瀑布

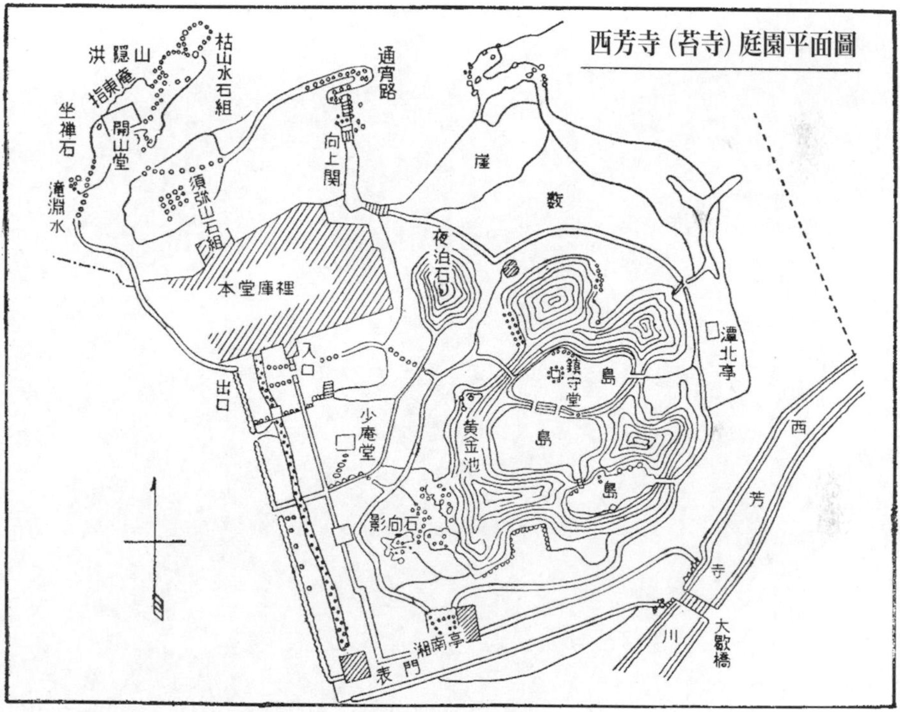

西芳寺（苔寺）庭園平面圖

※書中圖說標示出圖中文物在拍攝時的所藏地。其中，部分文物在2005年3月本書日文版出版時，所藏地已有所變更，特此說明。

為何關注庭園

日式傳統的樣本

在觀察日本庭園，提出種種疑問前，我想先向大家闡明本書聚焦庭園的原因，和此舉背後的含義。

長久以來，我國的古代文化遺產和古董、文物一樣，都屬於風雅之士與學者。正如反覆強調的那樣，我希望活在當下的人能擦亮雙眼，重新審視這些文化財富，將其化為自己的骨血，創造全新的傳統。觀照庭園，也是想將它作為創造新傳統的契機。

我會在接下來的章節中，重點為大家介紹室町、桃山時期到江戶初期誕生的名園。很顯然，人們之所以認為這些庭園有極高的水準與最典型的美，且細心保存至今，就是因為近代日本的審美大致是在這一時期確立成形的。

這些庭園的創意、建造過程與環境十分獨特，極具「日本色彩」。當然，這個詞有褒義，也有貶義。庭園中蘊含著精湛的技術與豐富嚴肅的表現手法，不是經過千錘百煉的高超文化，絕不可能孕育出這種高格調的品味。

然而品味背後藏著必然的脆弱，並以危機的形式表現出來。具體分析這些問題，有助於清楚認識日本文化的一大剖面，也能幫我們提煉出今天的日本人不知不覺背負的、早已滲入血肉的日式傳統。

何為庭園

今天我們一聽到「庭園」二字，腦海中最先浮現的一定是自家的園子。我們每天都要和這個園子打交道，幾乎家家戶戶都有園子——這個現象其實相當驚人，在其他國家很少見。

規模宏大的宅邸自不必說，即使狹小寒酸的平民人家，也一定有一塊巴掌大的庭園。哪怕沒有在壁龕掛上卷軸或擺上一盆鮮花，至少也會在院子裡象徵性地種幾棵樹、放幾盆盆栽。有的人家甚至會挖個小池塘什麼的。夏天在園子裡灑些水，享受傍晚的清涼，冬天則欣賞積雪的風韻。小小庭園，為擁擠、閉塞的生活帶去一絲溫情。雖然空間有限，卻能讓夢想自由馳騁。

當然，東京遭遇大地震（一九二三年）之後，一棟棟辦公樓拔地而起，現代化公寓越來越多，人們的生活方式急劇變化。即使是地方城市，傳統也因戰火的衝擊逐漸退出歷史舞臺，但庭園始終是市民生活必不可缺的組成部分。

《春日權現靈驗記繪卷》中的寢殿式建築：俊盛邸庭園，平安時代。

不過請大家注意，庭園終究是私人領地，是私密空間，是與日本傳統名園一脈相承的精神。我們不能就此認定，這就是庭園在人類生活中真正的、應有的模樣。

從歷史角度來看，也許我們就能自然而然地釐清庭園的意義和它的本來面目了。

在原始社會，庭園是歸屬整個集體的廣場。人們在室內休息，在庭園度過活躍的公共生活。那時的庭園大多位於部落中央，是舉辦宗教儀式與政治集會的地方，同時也是從事生產的場所。狩獵時期，即將踏上獵捕征程的精銳部隊齊聚一堂，在庭園跳巫術舞蹈。到了農耕社會，這裡則成了家畜的遊樂園，以及加工農作物的作坊。待到以物易物的全盛時期，庭園又多了市場屬性。當時的庭園與生活息息相關，是集體社會共享的廣場。

社會不斷發展，階級制度逐漸成形，催生出掌權者專享的庭園。貴族們齊聚園中，或商議政務，或舉行儀式，甚至在這裡享受各種娛樂活動與體育運動，觀賞各類節目。這樣的庭園已不再向平民敞開大門。而我們對庭園的印象，往往是從這一階段開始的。

平安時代，位於貴族寢殿南側的庭園，就具有上述屬性。為了身處寢殿也能欣賞美麗的景觀，人們在庭園中挖出池塘，配以小島、石塊與瀑布，打造了和諧的遠景。

隨著歷史演變和禪宗影響，庭園逐漸轉變成讓人靜靜欣賞的對象，不再是政治與競技的舞臺，與活躍的社會生活越來越遠。人們更傾向於在庭園中享受幽邃的環境，沉思冥想，搭建超凡脫俗的精神家園。至此，庭園的唯心和個人色彩已相當濃重，終於開始喪失公共性能。室町時代起，大多數庭園都是如此。

庭園的形態愈發精巧複雜，達到了一個階段的成熟。與此同時，傳統的園林技術確立下來。直至今日，一提到日本庭園，人們會立刻聯想到這一時代的樣式或變種。後世的造園技術與審美，也是由這種日本庭園決定的。若以人類庭園的漫長歷史作為參照，這應該是一種相當特別、相當富有時代性的扭曲。

德川幕府時期，勢如破竹的富裕町人階級繼承了這一傳統。他們將庭園帶到城鎮的中心，帶到倉庫與民宅林立的地方。日久年深，這種風俗最終滲透到住在隔斷長屋的平民階級裡。

人人都有自己的園子。越是考究的庭園，越要藏在建築和圍牆深處，外人難以窺見它的真貌。在歐美，典型市民住宅都把園子設在房屋前面，正對馬路。它們既是私人空間，也是街道的延伸，在某種程度上扮演著公園的角色。歐美庭園的現代性與日本庭園的私密性形成鮮明對比。自己的領地再小也要嚴防死守，這種妒忌心極強的封建性，在日式庭園中表現得淋漓盡致，且極具象徵意義。

日本庭園就這樣將自己封閉在一點也不大眾化的層面，逐漸失去了曾經的高雅、嚴肅與純粹，墮落成卑微的技藝。室町桃山時代的中世庭園打造出洞庭湖、西湖等天下名勝的微縮版，後人又將微縮版進一步壓縮到庭園式盆景的尺度，更加逼仄。於是乎，日本庭園的樣子逐漸與古典名園漸行漸遠。

這樣的庭園無法體現宏大的構想與生活的幅度，也沒有它所屬階級的特徵與欲望，淪為生活的虛榮裝飾，顯然無法代表庭園原本的內涵。

日本庭園死守著陳舊的封建傳統價值觀不放。而早一步踏上現代化之路的西方呢？普通市民住進高層公寓，原本屬於貴族的豪華壯麗的庭園則敞開了大門，變成公園——為民眾共享的庭園。

巴黎的典型法式庭園盧森堡花園原是宮殿的附屬品，如今每天各階層的人都在這座宏大的庭園中，以自己的方式享受自然：除了進行各類體育運動，還有學生打開筆記溫習功課；年輕情侶在寧靜的樹蔭下談情說愛；孩子們時而跳繩時而丟球，玩得不亦樂乎；婦人們在一旁專心致志地打毛衣；老人則坐在長椅上曬太陽讀報紙；到了下午，還有動聽的旋律從音樂堂傳出，響徹庭園。

日本人心中的公園不過是馬路的延伸；但在西方國家，公園是「大家的庭園」，它屬於公園裡的每一個人，是生活的延伸，是生活的一部分。

如今，走在時代前線的建築師與城市規劃師正在重新定義「庭園」，將它定位為更契合現代生活、更具功能性的公共廣場。只有這樣，才能重拾庭園在人類社會原本的、確切的真義。我認為，今後的庭園——也就是「市民生活的理想空間」，應該集公共與私密性於一身，動靜皆宜，同時極具藝術特徵。

庭園本是被塑造出來的空間，它既是建築物，又是雕塑，還有聲音的律動；它是用來看的，也是用來摸的；是靜止的，也是動態的；既自然，又反自然。人們能將所有藝術形式納入庭園，放幾幅畫，擺幾座雕塑，唱唱歌，跳跳舞……在庭園這個藝術空間中，一切都是可行的。

我並不打算展開論述什麼是真正的庭園與它的理想狀態，但希望大家能牢牢把握最本質的要點。我們必須用現代的目光觀察或批判名園，否則就會被狹隘的情趣所困，落入老舊傳統藝術普遍存在的圈套，自以為在大刀闊斧地變革，實則在它的時代特色中徬徨而不自知。

兩個障礙

將貼近日常生活的庭園抽象成理論之後，再在大眾層面展開庭園論，的確難度很高，會遇到各種各樣的阻礙。

首先，即使是歷史悠久、聞名遐邇的名園，也與普通人基本無緣，大眾根本不熟悉它們。鹿苑寺（金閣寺）、慈照寺（銀閣寺）、龍安寺的石庭、西芳寺（苔寺）這些特別出名的也就罷了；孤蓬庵、大仙院之類的，又有幾個人親臨其境呢？怕是很多人連名字都沒聽說過吧。

佛像和繪畫作品還能在照片和彩色印刷裡看一看，姑且算是大眾的觀賞對象。但庭園是一個巨大的空間，除了親自去看，別無他法。雖然名園大多位於京都的中心，但它們都零散分布在相對遠離煙火味的地方。不投入大量時間、精力與財力，就不可能親眼看到。

右｜鹿苑寺　京都
左｜西芳寺的夜泊石　京都
（池塘中排成一條直線的石塊，象徵小船每晚停靠不同的小島，最終穿越大海。）

所以，雖然庭園是組成日本傳統的一大內容，普通大眾卻對它知之甚少，哪怕機緣巧合得以一窺究竟，也不會抱著如飢似渴的心境去觀摩感受，自然想不到我提出的那些問題。但如果我論述的東西只有專家或附庸風雅者才能看懂，我就白寫了。

我的目的不是要闡述一堆囉唆的見解，或就零零碎碎的細節展開討論。不做出具體的點評，依然是沒有意義的寫作。接下來的內容在技術層面難度很大，我還是會和前面一樣，聚焦當下的問題，結合實物照片加以分析，保證沒怎麼參觀過庭園的人也能看懂。

另一個阻礙，就是今天我們看

桂離宮　京都

到的庭園是否還保留著剛落成時的模樣。要回溯時間，觀察庭園最初的樣貌，簡直比登天還難。

所有的「古典」，都會在時間沖刷下變色、變形。看到它們時，早已不再是誕生時的模樣。任我們這些活在現代的人再怎麼巨細無遺地復原時代特色、試圖沉浸在古舊的氛圍中，也不可能做到百分百地還原。如此觀賞古典，反而是自欺欺人，誠不可取。

觀賞對象變了，我們也變了。既然如此，就應該拿出自己的全部感知能力與靈魂，與此時此刻擺在眼前的古典正面碰撞，挑出可以正確回應的部分牢牢抓住，除此以外別無他法。觀察庭園時，尤其要把這一條放在心上。

放眼古典藝術，要論什麼最能經受時代衝擊，並會隨著時代不斷變換自己的樣貌，非庭園莫屬。在名園遺址見到被樹根掀翻、散落樹叢中的巨石，我們能品味到某種肅然的歷史深度，也能感覺到石頭的重量。然而，那種感受像幻影一般，抓不住，摸不著。

試想一下，眺望一座開闊的池塘時，有人說在風雅的平安時代，這裡會有龍頭鷁首的遊船，絲竹之聲不絕於耳——你耳邊彷彿響起微弱的曲調，五彩斑斕的色彩從水面溢出。可最終一切都是枉然。池塘早已時過境遷，成了普普通通的蓄水池。

有時古蹟保存得再完好也沒有用，比如著名的大德寺真珠庵有經典的七五三石組，古人設計景觀時必然考慮到園子背靠紫野，而紫野的盡頭正是比叡山。每處景觀都和庭園所處環境相呼應。可現在呢？庭園四周都是擁擠的民宅，園中的石頭也彷彿縮成了一團。

龍安寺的石庭也是如此。一堵瓦頂板心泥牆如畫櫃一般，隔開抽象的置石與外界，誰都不知道它是什麼時候變成了今天這副模樣。古代文獻中記載，站在那座庭園往遠處眺望，可以看到男山八幡宮。放在今天，這就有些難以想像了。

相比之下，每季都有專人悉心打理的庭園，反而顯得刻意而煞風景。比如井然有序的桂離宮和修學院離宮，像剛剃好頭走出理髮店的人似的，看上去分外冷淡，很不舒服。自以為保留原貌的維護，反而讓園子逐漸失去了古典的樸素。雖然每次都照「原樣」打理，但感覺層面的細微偏差還是積少成多。久而久之，今日的庭園就逐漸與給人帶來初始感動的庭園相距甚遠。

要是連考證原型和保護古蹟都需要我們操心，那真是沒完沒了，還是交給學者、專家或文化遺產保護委員會之類的部門去管吧。我們應該專注於擺在眼前之物，深入探討相關問題。

魔術之境

京都的陽光特別淺淡。

走出旅館來到街上，準備去參觀庭園時，斜斜的陽光悄無聲息地照射進嵌著古舊格子門窗的街道。

這是過去的陽光——也許這就是一座群山環繞的都城永恆的面貌。

無論是古老庭園中的樹木、置石的肌理，還是長滿苔蘚的土地，都蕩漾著這樣的陽光。

我突然渾身顫慄，莫非我已經成了這座都城的俘虜？而我此行的目的，明明是要用鋒利的手術刀劃破古都的外皮。

舉個跳躍性略強的例子吧。假設你去電影院買了電影票，至此一切還都正常，可當你在檢票口把票交給工作人員，走進放映廳，就會被獨特的熱烈而讓人陶醉的氛圍所包裹。坐在銀幕前，你的性格都變得和在外面時完全不同了。有沒有想過，你到底是去看電影，還是去享受影院氛圍？這個問題很難回答。

踏入沐浴著淺色陽光的名園，會有一種與上述情況相反的感受。你的靈魂會脫離肉身和內心世界，不知不覺中被框定在名園的規則裡。起初還能意識到自己身處一種極其特殊的氛圍中，待得久了，便習慣並下意識地迎合這種氛圍。

到了這一階段，我們終於不再急著用當下的意識，粗暴地擾亂有冥想色彩的靜寂園林；也不再像欣賞新藝術時那樣全身心地與眼前事物碰撞，從而發現令人驚異的美；而是在早已設定好的框架中，誠惶誠恐地「瞻仰」——一切情緒都為這種舞臺效果與機制服務。

不可思議的是，這不一定讓人不快。雖然我們會不時回過神來，感到奇怪又不由得發笑，心想：「我果然是日本人啊。」

在京都站下車，東本願寺的屋頂映入眼簾，我整個人便陷入這種特殊的精神狀態之中。這種氛圍使人麻木。一旦接觸到古都，我們就會拋開現代人特有的緊迫感，毫無抵觸、放心大膽地沉入古老的夢境。在《今日的藝術》中，我從另一個角度論述了這種現象。這就是過去的文化向我們施展的魔術。更何況此前我也說過，庭園具有時代意義，它細膩的心思能將鮮活的現實生活拒之門外，形成一處完全密閉的幽邃之地。

庭園蘊藏的機制相當耐人尋味。它專攻人性弱點，靜靜地挑起玄妙的情緒。這種情緒會化為高舉傳統大旗、裝腔作勢的態度逼近，讓人難以招架。

但不得不承認，庭園的某些方面需要我們沉浸在這種心境中，需要觀者踏入魔術的圈套。唯有如此才能真正理解其精髓。這是有一定難度的。只有推翻現實的生活情感，跨越歷史的深度追本溯源，才能切身體會到它的美——庭園設計就是如此巧妙。

面對現代藝術不需要如此煩瑣的程序。好的現代藝術自會撲向我們，不需要任何條件。沒什麼典故來歷，不講究觀賞方法，也沒有條條框框；好就是好，不好就是不好。現代藝術與人們生活情感的聯繫就是如此直接。

所以請大家務必小心。「中圈套」不過是一種觀察手段。要是真的一頭栽進陷阱，就不能正確地理解了。若撇開內容只談手段和條件，就可能犯下大錯。如果一開始就認定這個脫離現實的小世界很「了不起」，卑躬屈膝地瞻仰，就不存在質疑的可能。重點不是不能浸醉於舒心的氣氛，而是我們終究要冷眼看穿魔術的圈套。其實魔術並非出自對方之手，而是源於我們自身的缺陷。

換言之，在觀賞古老的庭園時，既要「上它的當」，又要看穿其把戲。既要中圈套，又不能完全陷入。我們需要這種玩世不恭的心態。

上面說的是審視傳統藝術之前的心理準備。下面讓我們針對具體的問題，展開澈底的批判。

中世的日本庭園是不是在意識的藝術思維下建造而成的？從嚴格意義上講，它到底算不算藝術？這些問題就先放一放吧。無論如何，除了那些從歷史研究、考證或鑑賞古董的角度看日本庭園的人，活在今天的我們都會用現代的藝術意識接納它們。唯一的選擇就是把庭園當成一種藝術，否則是無法從中感受到任何激情的。

銀沙灘之謎

慈照寺

正如前述，即使沒有親臨中世名園，人們也能根據日常生活想像個大概。飛石、泉水、假山、燈籠，還有樹枝的形狀、修剪的手法等。真正踏入名園，你就會發現這些元素精巧、華麗到了極致，不禁感慨萬千，品嘗到巨大的喜悅。

然而，慈照寺的銀沙灘一定能讓每個第一次見到它的人倍感意外。實不相瞞，我初見銀沙灘時，也嚇了一大跳。

慈照寺的入口附近給人的感覺很平常，安靜優雅，和京都這座城市的氣氛沒有太大差別。遊人要沿著被矮牆裹挾的蜿蜒小路往前走。

然而跨進大門，齊胸高的大片白沙赫然眼前，震撼十足。看到這般景象，第一反應便是這裡被鋪滿了。

抱著對古寺和名園的尋常期待走進慈照寺的人，一定會不知所措。更何況你的右手邊還有一個比周圍高出一截的白沙堆，格外顯眼，形似擂鉢山。

整座庭園被東山環抱。山上的樹木綠得柔軟而沉穩。沙子白得讓人感到粗暴。這兩種顏色不太和諧，彷彿會碰撞出怪異的噪音。人們將這種景觀稱作「白沙青松」。詞語用得對仗得很，園中的氛圍就不那麼協調了。

仔細觀察就會發現，沙堆的形狀非常奇妙。日本美學史中真的有這樣的形狀嗎？既有幾何學的屬性，又有種難以名狀、不合常理的風格。這不可思議的美麗形態分明只存在於所謂的「現代藝術」之中。

如果這裡都是種感覺也就罷了，可沙堆旁邊就是極為尋常的傳統庭園，每個角落考究文雅到極點，似乎用盡心思滿足風雅之士的品味。

順著小路往前，是一個輪廓歪歪扭扭的小池塘，架著小小的石橋，池面上布有小島，完全符合傳統。也許庭園設計者覺得只要用上石頭就算修了個園子，所以園中胡亂放了一堆精緻的石塊，還種了枝條形狀恰到好處的小松樹，好一座典型的日本庭園。銀沙灘明明置於其中，卻毫不掩飾其桀驁不馴的風貌，大有把庭園裡其他經典元素驅逐出境的氣勢。

要是用一顆老舊的心與世俗目光粗心大意地看這座園子，你絕不會覺得銀沙灘的形態有多美。

隔著銀沙灘遙望向月台
慈照寺　京都

也許正因如此，在我參觀過的一眾名園中，銀沙灘帶來的喜悅始終是不可超越的。然而，我查閱了許多文獻資料，也諮詢過庭園專家，他們都只點評說「不可思議」、「很奇特的設計」；從未見過將銀沙灘正經八百地定義為「庭園之美」之類正面誇讚的言論。看來大

雨中的慈照寺庭院　京都

家只對銀沙灘的特異性感到困惑，沒有要讚揚的意思。

日本的知識分子和風雅之士有個壞毛病：完全展現在眼前的東西，他們是不願意費心思考的。他們的思維體系中只有凡人一眼看不明白、深奧且九轉十八彎的東西；彷彿唯有行家歷盡艱辛發現的，才是了不得的好東西。

銀沙灘很直白，在那些人眼裡可能不會有太高價值。但它著實威風凜凜，坦坦蕩蕩。我很為銀沙灘不平，它明明值得更多的關注。

也許可以把銀沙灘視為日本庭園史中的一個洞穴。不，把範圍定得更廣些，說它是日本美學中的一個洞穴也不為過。

為什麼人們對銀沙灘敬而遠之？首當其衝的原因是它廣漠而乏味，沒有近世日本美學擅長的心機，也沒有引人注目的高潮。

白沙這種素材本就不同於樹木、石塊。它不會彎曲，不會褪色，不會在自然氣候的洗刷下呈現所謂的「古色」。也就是說，白沙與「古雅」、「蒼老」等概念無緣。無論何時，它都乾爽鬆散，澄澈無垢，永恆如新。

要是用白沙優雅地裝點置石，或恰到好處地鋪一些在地上，倒也沒什麼不尋常。但銀沙灘特別厚，完全由白沙組成，彷彿剛鋪好一樣，露骨地表現著它的鮮活。它的形態中有人工與幾何學色彩。它的體量足夠大膽，足夠單純，激烈而沉穩。

總而言之，銀沙灘一點也不閒寂。

但總是有什麼地方不對勁。如果是最近流行的現代藝術還能一笑置之，可它偏偏出現在慈照寺這座古而有之的庭園，誰敢說它不好呢？於是大家便推脫說搞不懂。

拘泥於「懂不懂」才是最沒有意義的。點景石的凹凸分明、樹木的枝條走勢、池塘的形狀又有什麼好說的呢？那些都是有固定模式、被反覆沿用的，讓人覺得好像能看懂。銀沙灘太獨特了，沒有可以參照的前例，所以就看不懂了，這是哪門子的道理？正因為它別具一格，才能給人感動，才是真正的藝術。換言之，關鍵不在於所謂的「意義」，而在於能否被審美接受。排斥銀沙灘的人，只是沒領會到它的美而已。

銀沙灘的不可褻玩反而讓我欣喜不已。我認為它的美就在於此，需要我們用現代審美觀接納的東西就在這裡。但在深入探討這一點之前，不妨思考一下，這種不可思議的美到底是如何形成的。

沙堆的歷史

銀沙灘與向月台這兩處用沙子堆出來的景觀是什麼時候形成的？這我們無法在史料中找到確切的記載。

東山慈照寺的庭園本是足利義政將軍晚年命人建造的山莊。為了迎合將軍的喜好，設計者模仿了世人公認的名園——西芳寺的風格。傳說庭園最初分兩大塊，靠東的區域依山而建，以置石為主，下方則以池塘為中心，打造成更適合漫步欣賞的小園。誰知園子還未建成，義政就咽了氣。由於戰亂和足利一家沒落，這座庭園逐漸荒廢。

桃山末期到江戶初期，人們對這裡進行了大規模的修繕改造。據史料記載，今天看到的方丈是寬永（一六二四年～一六四五年）末年重建的。

所以，今人熟悉的這座以觀音殿前的池塘為中心的庭園是基于義政時代的室町樣式、依照近世江戶初期的審美改建的。改建之前，究竟有沒有銀沙灘和向月台？很遺憾

《都名所圖會》中安永年間的慈照寺　京都

的，沒人能夠回答這個問題。

即使這兩處景觀在庭園剛建成時就已存在，恐怕也不會是我們今天看到的模樣。江戶中期安永年間（一七七二年～一七八一年），田沼意次一手遮天，在當時出版發行的《都名所圖會》（都名所図会）與二十多年後寬政十一年（一七九九年）發行的《都林泉名勝圖會》（都林泉名勝図会）中，都提到了慈照寺。對比兩幅插圖，可知向月台在這段時期幾乎保持不變，銀沙灘卻已經有了很大變化。明治二十年（一八八七年），人們又調整了花壇等景觀的位置，這才有了今天的慈照寺。

也有學者認為，起初地上只有薄薄一層沙子，但隨著時間推移，沙子越

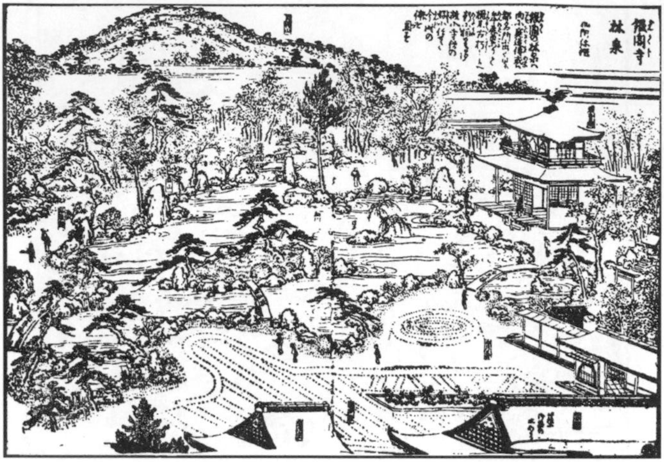

《都林泉名勝圖會》中寬政年間的慈照寺　京都

堆越高、越堆越厚，就變成了現在的樣子。現今仍然有很多禪寺會在前庭鋪一層白沙，再在角落裡做一個「縮小版向月台」似的饅頭狀沙堆，以備前庭地面沙子不夠時及時補充。如果向月台的沙堆也是這種功用，那麼銀沙灘顯然是從「鋪地沙」演變而來的，可惜目前找不到其他案例佐證這一猜測。

總而言之，不管銀沙灘和向月台原來是什麼模樣，現在它們都占據著方丈前面的空間。站在方丈的邊沿往外看，最搶眼的大概就是這兩處景觀了吧。看來方丈建成之後，庭園主人的生活重心就轉移了過來，並逐漸塑造出今日的銀沙灘與向月台。

空間層面的呼應

很明顯，銀沙灘的形態與矗立在庭園前、環抱整座庭園的月待山的輪廓，是遙相呼應的。

站在方丈的一角向外看，向月台位於山腳低陷處，而銀沙灘的西北角恰好從那一點開始急劇隆起，向斜右方延伸，畫出一道華麗的弧線，與正面的山頂呼應。背面東與南端卻有一處凸起，犀利地插入兩條巨型弧線之間，且這條輪廓線在弧線交合處便向內凹陷，行至向月台，與山峰輪廓的斜線形成正相反的對應關係。

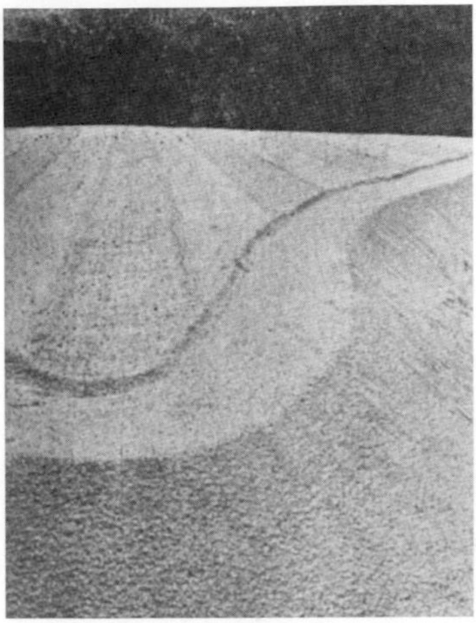

銀沙灘東南端

還可以看出，構圖依位置而變，完全建立在庭園和山峰輪廓的關係上。

也許這種效果是庭園設計者始料未及的。在長年累月的修繕中，庭園與周圍環境的呼應對人產生了潛移默化的影響，景觀形態逐漸調整成了現在的模樣。

事實上，如果沒有和周遭環境的

上｜銀沙灘西北角
下｜銀沙灘北面

銀沙灘西南端，正面是方丈。

緊密呼應，肯定無法在造型層面讓抽象的形態活起來。

欣賞庭園時，人的視野往往會變得比較狹窄。看石頭，只能感覺出石頭的韻味；看池塘，則只能品味到池塘的風情；要麼就去琢磨池塘和周圍樹木的搭配。事實上，我們必須先把景色置於更大的框架中，充分把握它的整體形狀。

這是明擺著的道理，無須多費唇舌。

另外，不能忽略沙堆自身的雕塑結構和犀利的空間感。若將其他景觀全部抽象化，默默凝視銀沙灘與向月台，繞著它們走一走，就會發現它們的立體感隨視線移動明顯地變化著，呈現出

向月台，後方是觀音殿。

一種獨特的美，可謂是極富有創意的藝術作品。

強烈的空間性得益於平面與立體的有機組合。

向月台呈尖銳的圓錐形，頂端彷彿被挖去一個小球。它的高度，以及與銀沙灘的廣闊平面呼應的厚度適宜——獨特的空間劃分手法收穫了極佳的效果。

尤其值得關注的是銀沙灘表面的細鑲邊。這些略顯尖銳的線條成了絕佳的點綴，以神奇的方式讓整個空間都緊張、鮮活了起來。要是沒有這些鑲邊，就算銀沙灘再怎麼有立體感，恐怕也只是一片普通的厚沙。

另外，銀沙灘的輪廓大都是曲線，表面的粗條紋理則是直線。曲直碰撞，使景觀的整體氛圍更加緊繃。

綜上所述，銀沙灘和向月台既有躁動的一面，又完美地對應了周遭環境，形成了緊張的對立。它們本身還是相當出色的雕塑作品。為什麼要強調這一點呢？因為慈照寺的空間結構極為獨特，找不到其他類似的日本庭園。

大德寺聚光院的庭園　京都
從上圖的正面看，複雜的山水景觀別有一番風味。
但站在下圖的側面，就只能看到縱向排列的石塊。

京都西芳寺的枯山水（上），從側面看（下右），從後往前看（下左）。從正面看，石塊擺位巧妙，就像飛流直下的瀑布。但從側面看，景致扁平化，彷彿舞臺劇的布景。從後往前看，石塊三段式分布毫無美感，也沒有空間性與雕塑性，僅保留了平面效果。龍安寺的石庭置石也有同樣缺陷。

一般情況下，日本庭園的美極大程度地受到視角限制。雖說從哪個角度看都賞心悅目的庭園（比如迴遊式庭園、四合式庭園等）不少，但實際走走看看就會發現，景致特別優美的地方極其有限。那種美有點像繪畫作品，需要朝某個特定的方向看才能理解。一旦離開那個位置，再優秀的名園也會為結構所累，暴露出模稜兩可的線條。置身美景，或繞到其背後再看，景色的美感很可能轟然倒塌。

西芳寺的枯山水雖然水準過人，但也未能免俗，這我在稍後我會做深入分析。它是富有魄力的庭園傑作，但園子裡所有石塊都沒有「背面」。龍安寺的石庭也是如此（第一九七、一九八頁）。正面構圖很和諧，正中的空間十分立體，但是繞到側面，景色就變得非常單薄，毫無層次可言。石頭都朝正面橫向排列。這個問題在大德寺聚光院尤為突出，就像站在舞臺側面看布景，既無聊又淒涼。

出現這種現象的根本原因，是日本庭園過分拘泥於特定的繪畫模式。換言之，日本庭園處理空間的手法是繪畫中的透視法，自然不可能產生有雕刻色彩的空間性。

湖的幻想

銀沙灘與向月台不僅造型優美，還有更複雜的深義。夜幕降臨，建在山陰處的庭

從慈照寺觀音殿俯瞰庭園　京都

園的一切，都會被吸入濃密的黑暗中。白天顯而易見的不和諧配色與矛盾的緊張感，也會消融其中。沒過多久，月亮從黑漆漆的山峰背後升起。白沙丘綻放的銀色光芒詭異地浮在半空，化作天地的中心。它靜謐而莊嚴，彷彿不屬於塵世。

世界無邊無垠。

其實建造慈照寺庭園的主要目的之一，就是欣賞從東山升起的月亮。義政寫過一首和歌：「吾庵就在月待山腳下，漸斜的天空投下暗影令人感慨萬千」。可見「月待山」是最關鍵的參照物，庭園中的一切建築都是對照這座山配置的。月亮倒映在閣樓前的池水中，更為庭園增添了幾分韻味。

夜半時分，月下設宴，吟詩誦詞，對酒當歌。貴族的傳統娛樂就是如此風雅。慈照寺的庭園結構非常適合舉辦這類活動。但要只是將山巒納入庭園，把月色據為己有，或欣賞倒映在水面的月影，慈照寺就和其他庭園沒什麼分別了。

可慈照寺有沙堆。沙堆跳出了依託自然的樸素，積極的構想令人驚訝。月亮升起時，寬闊的銀沙灘忽然化作廣袤的湖面；向月台的台頂則化為滿月，閃閃發光，與天上的月亮遙相呼應。

在這一刻，沙堆不再是單純的象徵，它跳出了造型美的範疇，躍入現實與非現實交織的夢幻世界。毋庸置疑，銀沙灘是水的象徵。慈照寺的宣傳冊裡寫道，銀沙灘是相阿彌（相阿弥）（足利義政的臣子，負責鑑定、整理中國傳入日本的書畫、茶具等美術工藝品，擅長南宋風格的水墨畫，留下許多名作，比如大仙院紙門上的畫作。出於這些原因，民間傳說許多庭園都是他的作品，但大多沒有確鑿依據。）參考中國西湖建造的。宣傳冊上的東西往往是一本正經的胡扯，可信度不高，但這一點我有切身體會，設計者的確想用銀沙灘打造湖的效果。

水自古就是日本庭園不可或缺的元素。月與水，或者更進一步，用沙子隱喻水後，月、水、沙的組合應該也別有一番深意。而我們也能從中解讀出禪的意味。

佛學中有一個詞叫「真如之月」，可見月亮是開悟的象徵。月亮有時會被迷惘的雲霧與浮世的風雨遮擋，陷入短暫的黯淡。但在厚重的雲層後面，它依然釋放著明亮的光芒。一旦煩惱被吹散，圓滿、沒有一絲陰霾的真如之相，便再次呈現在世人面前。

倒映在水中的月亮象徵人的煩惱。你以為月亮在水裡，伸手去抓卻什麼都抓不到。等到放棄了轉身要走，卻發現閃閃發光的月亮又重新出現在水面上，擾亂你的心緒。在佛教的世界觀中，與實在的世界——不動境地相對的是我們這些凡夫俗子苦苦掙扎的塵世。塵世中的一切，都是鏡花水月般的虛妄。

然而，不能因為水裡的月亮不是真的，就斷定它不存在。水中倒影也是不爭的「實在」。它體現的就是既虛又實，既實又虛，色即是空，空即是色的真理。「水月」還暗喻兩件事物心無雜念地合二為一，也比喻開悟。在慈照寺的庭園中，月與水的象徵意義通過非常規的材料銀沙，實現了技巧的突破，轉化為巨大震撼力。月夜下的銀沙，便是月色中的水。不過銀沙灘雖為「實在」，卻終究不是真正的水。向月台上的「月亮」則與虛空之水呼應，包含了形而上的面貌與含義。

借天上的月光令地上的湖與月現形，的確似實而虛，似虛而實。它直截了當地表現出禪的辯證世界觀，既有感受性，又具思想性。

既然提到了夜晚的景觀，那也講一講銀沙灘上的條紋吧。

銀沙灘九道條紋

寬闊的白色表面上，平攤開九道等寬的粗條紋，朝著緩緩攀升的月亮。每一道條紋都由無數平行的細線組成，彷彿將天空中的光芒引向觀者。九道條紋犀利地浮現在月影下，好似夢幻的水脈，讓每個觀者都印象深刻。

如果銀沙灘上的紋路是寫實的波紋，必然無法收緊由沙子形成的廣闊平坦的單調，進而將其昇華到另一個高度。所以我認為，這種將水脈抽象表現的做法非常大膽，也非常明智。不過，銀沙灘上的條紋從一開始就是這樣的嗎？

讓我們來一段愉快的想像：如果我是這座山莊的主人，會在月亮爬上山頭的時候，將賓客帶進院子，大家一邊與月光下閃閃發光的白沙嬉戲，一邊在寬敞的舞臺上發揮各自的想像。人們可以隨性作畫。畫好再抹掉，抹掉再接著畫人影在沙灘表面無休止地舞動，心靈肆意地馳騁。

我總覺得，庭園再好，站在一旁畢恭畢敬地欣賞前人作品也是很無聊的。若觀賞者參與到庭園的創意中，成為庭園的創造者，邊創造邊觀賞，這樣的庭園多麼鮮活、多麼美好啊。從這個角度看，我的主意相當不錯吧。

說不定古人和我的想法不謀而合。現有的條紋固定下來之前，他們可能就是這樣享受銀沙灘的。我能找到類似的例證。據說冬天人們會給苔庭鋪一層茶褐色的枯松葉，確保苔蘚安全過冬。遊人造訪時，就請他們發揮創意，將綠葉點綴在枯葉上。

虛與實

言歸正傳。深入分析虛與實是很有必要的。讓我們再次回到白天的慈照寺，觀察一下整座庭園吧。

現在，我們已經把那片廣闊的銀沙灘看作一面湖了。可大家不覺得奇怪嗎？銀沙灘後面分明還有一座「真池塘」，而且乍看之下二者是相接的；向月台的輪廓也和前方的「真山」疊映。也就是說，這裡的山和湖都有虛實之分，形成了兩組執著的對比。我

實池與虛池的重疊

們能在其中發現相互重疊的虛與實。

當然，所謂的「真湖」不過是個小池塘，是人工的產物，周圍擺著許多奇岩怪石，模仿斷崖和小島的樣子，錯綜複雜；還利用透視法，讓人產生這是一座大型天然湖泊的錯覺。背景中的山雖是借來的自然景觀，但通過在山腳配置水和石塊，硬是把不太高的小山丘打造成了巍峨峻嶺。如此一來，這些景觀本身已是既實又虛了。

但光是這樣，慈照寺庭園還不算稀罕，中世所有庭園都是如此，在有限的區域中把自然的縮影搜集整合到一起，打造出一片廣闊的天地。

包括銀沙灘與向月台的景觀，顯然別有用意。人們用無情的沙子塑造稜角分明的沙堆，把反自然的人工特有的粗暴不加掩飾地擺在觀者面前，借此挑戰庭園背景中的自然。

多麼大膽！無比緊張的虛實大戲就此拉開帷幕。

水與沙——虛的湖，兩者之間可能存在的所有聯繫都被剔除得乾乾淨淨，形成澈底的阻斷。這裡存在一個空虛的空間。

這種阻斷讓水變得更像水，在其影響下，連沙子也變成了水。

這樣說可能讓大家覺得虛實之辨分外神秘晦澀，但以上形容非常貼切，無須更多解釋。這就是藝術層面的技術與表現手法。

剛才我們從禪的影響切入話題，「虛與實」也能讓人產生關於佛教的聯想。但我希望大家不要戴著宗教的、學究的有色眼鏡，看待這個問題，因為這是藝術層面非常具體的一種直覺。

藝術中隱藏著根源性的矛盾。它在對立統一的基礎上釋放出強烈的個性。矛盾元素的對立是藝術的本質，也是藝術最根本的組成元素。常有人將藝術和恰到好處的消遣、考究的喜好混為一談，但藝術的內涵與層次和它們完全不同。這一點絕不能搞錯。

出於這方面考慮，我才在書中重點分析了慈照寺的銀沙灘與向月台。不過，老實說，慈照寺也不能讓我完全滿意。用嚴格的標準仔細觀察，就會發現其中也有過於模稜兩可的部分。一定是平時打理庭園的人沒有一以貫之的審美，太可惜了。

當然，我們沒有必要將沙堆定性為固定不動的東西，歷史的長河已經一點點改變了它的模樣。在我看來，要是令人再大膽一些，有意識地用近現代的感觸激發它、推動它，銀沙灘一定會散發更令人顫慄的美。

也有其他庭園以各種形式呈現了虛與實的二元運用。接下來，我們將在更廣闊的視域範圍內探討虛與實，扣問庭園的本質課題——自然與反自然。

借景式庭園

逐漸消逝的技術

有一種庭園叫「借景式庭園」。

設計者將園外風光巧妙納入園內，讓其成為組成庭園的一部分。如此一來，即使庭園面積有限，也能欣賞到磅礴景致。外部自然美與內部人工美的絕妙搭配，自會呈現一派和諧景象。

修學院離宮　京都
（從上御茶屋眺望）

細細想來，借景其實是造園術中最本質的技法。從中世到近世，「無借景，非名園」的觀點確實是深入人心。可見借景的確是造園領域的一大課題。

可惜今天我們已經很難看到原汁原味的借景式庭園了。有的是園子早已荒廢，不成原樣；有的則是園子狀態尚可，但周圍建滿民宅，長滿茂密的樹木，還築起了圍牆……總之，周遭環境面目全非，偏離了設計者的初衷。不知不覺中，人們甚至忘記了借景的本意。大多數庭園就這樣走向封閉，最終與世隔絕。不過，我們仍能在其中找到借景的痕跡。

位於大和小泉的慈光院以精心修整的花木聞名，這是一座典型的借景式

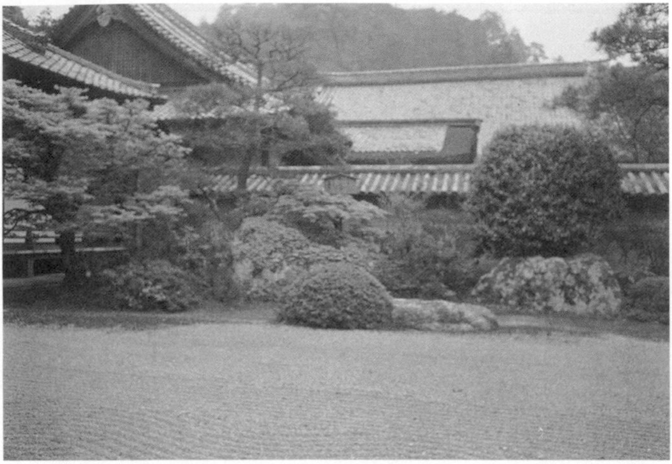

南禪寺方丈南庭　京都
（矮牆後面起的建築擋住了遠外的風景）

庭園，將背靠高山的廣袤平原納入庭園的景致。從修學院離宮的上御茶屋望出去的景色也基本保留了設計者的原意，算是例外。（不過這座園子本來就大，疊加宏偉的遠景後不覺有些重複，所以這例子也不算特別恰當。）

紫野的大德寺方丈庭、真珠庵的七五三置石、孤篷庵的庭園、南禪寺的方丈，都有借景的印記。如今的龍安寺石庭，只剩下狹小的園子和其貌不揚的石塊。但當我們站在園子正面肆意想像，恍惚間彷彿還能領略幾分曾經的風采。

據說曾有不少借用琵琶湖景色的庭園，然而，這些借湖為景的庭園幾乎都沒能保存下來。（如江州朽木谷的周林院。）

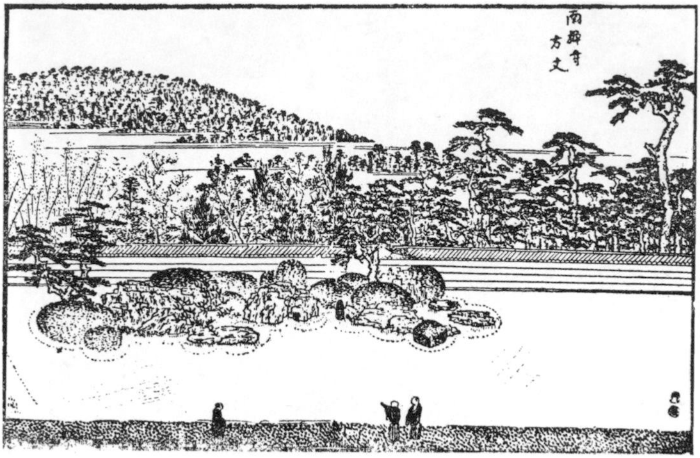

《都名所圖會》南禪寺方丈　京都

至於借河為景的庭園，最出名的就是後鳥羽上皇的水無瀨離宮了。上皇還留下一首和歌，與這座園子頗有淵源：「放眼望去，山腳薄霧繚繞，正是水無瀨川流過的地方人們為何只覺得秋天的傍晚別有情趣呢？春天的傍晚明明也是如此動人。」要是這座庭園還在，風景該多麼壯闊啊。除此之外，歷史較短的還有松花堂的書院前庭、以淀看席聞名的西翁院藤村庸軒的茶庭等。還有當麻寺中之坊這種比較特殊的案例，它借用的是天平時期的東西雙塔。

「借景」這項技法是怎麼得來的呢？

這要從庭園的歷史說起。古代貴族將高水準的舶來文化獨具的「豪華絢爛的人工美」牢牢抓在手中。飛鳥、藤

妙心寺退藏院　京都
（草木生長，後方竹林日益繁茂，擋住了遠景。）

原和平城京的遺跡，足以供人想像當時都城的規模何等宏偉。瞧瞧正倉院收藏的文物和留在各寺院的文化遺產有多豪華，就可想而知彼時的貴族過著怎樣的生活了。在這層外衣之下，潛藏著人們對哺育整個民族的樸素自然的熱愛與懷戀。這種感情源遠流長，永遠無法抹殺。所以，貴族們在都城內外修建了各式各樣融入自然元素的離宮、別墅和山間寺院，這些地方正是他們逃避現實、品味鄉愁的好去處。不必追溯到古代，今天經濟富足的人也在如法炮製，沒什麼稀罕的。

手握重權的貴族建設宅邸或寺院前必定百般斟酌，不是請人占卜吉凶，就是特意挑選一個能俯瞰領地的位置。

景色優美或許也是一項重要條件，他們勢必想把青山綠水盡可能原封不動地收入自己的庭園，於是用盡巧思，構想各種與他們生活情調相符的創意。

宏偉的建築曾多不勝數，可惜今天只能在文獻中一窺它們的風神。比如飛鳥時代齊明天皇的吉野離宮、將浩瀚的琵琶湖納入景致的天智天皇的大津宮、聖武天皇的紫樂宮等。再把時針往後撥一些，還有今人仍能親眼看到的安芸宮島。瀨戶內海成了宮島庭前的「池塘」，宮島本身則化為池中小島。平清盛的構想可謂石破天驚，但宮島的設計並未偏離前人的路線。

隨著時代變遷，人們漸漸不再建設這種大規模的庭園。庭園越來越小，越來越私密。建造園林的技術逐漸朝細膩的方向發展，力圖在小空間中凸現恢宏的自然景觀。古代社會瓦解的同時，貴族權力受到極大的限制。到了室町時代，城市文化迅猛發展，城市周邊確實變得擁擠。造園技術的演變，是社會發展的必然結果。

若要在有限的空間內搭建庭園，營造自然之美，人們一般會小心翼翼地隔開庭園和外界，種上樹木，配置石塊，開闢一片全新的天地。如若庭園周遭就有動人的景致，當然沒有必要刻意擋住它，順勢利用豈不更好？只要劃清庭園和外界的分界，界外景色就能成為庭園的外延，觀者也能享受更為壯觀的情趣。

思緒進一步延展，你會發現京都有許多名園都以都城周邊的小山丘為背景修建。

從這個角度看，慈照寺、天龍寺甚至西芳寺也不是不能歸入借景式庭園的範疇。不過，在接下來的討論中，暫且不論直接、樸素地將庭園與山巒相接以作延續的情況。

催生借景的「空」

我想說的是符合借景初始定義的借景式庭園。庭園與遠景之間存在斷層，但它們跨越了斷層，形成有機的呼應。這種借景並非建立在庭園和庭園的延續形成的一元均衡上，而是在保留自然元素與反自然元素對立關係的同時，將兩者結合。這正合乎我之前提到的虛實對比。換言之，是以虛無為媒介，以阻斷為前提的多層次的緊迫感。

前文提到的藝術辯證法也是這樣。古老的日本庭園裡暗藏著令人驚愕的法則，卻不曾有人從這個角度剖析庭園，也沒有人將庭園上升到本質問題的高度。真是太不可思議了。唯一的解釋是，一直以來人們都遵從傳統模式去觀賞庭園，沒有將其視為一種藝術，沒有用對待藝術的方式與它發生切身的衝撞，並體會其中感受。

且不論借景式名園曾被賦予何種含義，總之我認為，借景與現代藝術課題有相通之處，是一種根本方法，能讓我對它產生現實層面的興趣。對今後的庭園設計而言，它也是我們必須研究的重要課題之一。可惜今人規劃城市時，往往會忽略這一點。

思考借景技術的本質意義之前，先來探討一下借景的動機。

我剛才也說了，一個地方若能讓人產生建設離宮、別墅等美麗庭園的欲望，說明此地自然風光秀麗。只要把房子建起來，身處其中向外眺望，就是一座絕美的庭園。

但若只是單純欣賞未經修飾的大自然，就失去了生活中的創造性。如果無法感受到自己創造的美，不能充分利用自然美帶來的藝術樂趣，那還有什麼情調和品味可言呢？難道隨便什麼人，只要在風景絕佳的地方建棟房子就算是庭園嗎？

一點意思都沒有。這樣的東西，當然稱不上庭園。話雖如此，要是在一處本就能看到宏偉景觀的地方，弄出一座盆栽式庭園，把自然風光複製進去，那不僅大大糟蹋了可貴的景致，也產生不了任何意義。

近年來，在旅遊勝地的舊旅社或旅館門邊，我們總能看到店家精心設計的庭園。明明抬頭就是壯麗的群山峻嶺，卻偏要按照傳統的習慣，在園子裡擺幾塊奇形怪狀的石頭，或挖個小小的池塘，用各種小道具堆砌出一個庭園。這樣做毫無意義，還會破壞大自然的美和氣勢。

面對自然、理解自然，充分激發它的魅力，創造性地參與自然之美——這樣的技術必不可缺。借景式庭園最考究、也最高難度的技藝就在於此。

加賀前田家的史料中，記有這樣一件趣事：江戶初期的藩主前田利常對庭園很感興趣，所住城池的庭園都由他親手打造。可小堀遠州（江戶初期茶道、造園大師，據說桂離宮就是由他設計的）一見到他的作品便嘟囔道：「堂堂大名，園子卻透著一股小家子氣。如此俊美的高山湖水就在眼前，您竟然視若無睹。」利常笑道，此話在理。立刻填平園中的人工造泉，推倒假山，清走院子裡一切人工景觀，只剩幾塊石頭。這一來，「湖水自不用論，叡山、唐崎、三笠山也盡收眼底」。遠州見狀，拍手叫好：「大名的庭園就該如此！」

只剩石頭的庭園是怎樣的？很遺憾，今人無緣得見。但我們能通過這個事例看出，當時的人顯然已對借景技術有了一定的認識。

全面接納大自然的景觀。如果必須做點什麼才能接納，也要摒棄耍小聰明的伎倆，純粹而強韌的措施是唯一的選擇。只有運用人的抽象性及性格中的明快與單純，才能幫助我們對抗自然並充分利用自然的魅力。

借景技術極為特異，也值得我們驚嘆。正如我反覆強調的那樣，它不是將大自然複製到自家小園子裡，打造盆景式風光，而是將大自然原原本本地拉進園子。只需要一點點小技巧，就能將遠處的風光拉近身邊。嵌入小小空間的同時，狹小的人工景觀也會融入開闊的自然風景，並開始無限擴張，彌散無窮氣韻。

換言之，借景使大空間與小空間互為異物，形成極致的對立。雙方差異越大，緊繃關係的作用力就越強，越能將司空見慣、平淡無奇的自然空間，改寫為新鮮而令人驚異的藝術空間。

而催生這種變化的媒介，正是被安置在兩個迥異空間裡的「空」。

所以我前面才說，真正的借景必須滿足一個條件：身邊的庭園與遠景之間必須存在澈底的阻斷。這個阻斷可以是平原或山谷，也可以是低矮的土牆或籬笆。這是借景中至關重要的元素。

要是兩個對立的空間存在自然而連續的森林或山巒，這就麻煩了。它們會變成毫無用處的屏障，掐斷異物的對決，把一切打回原形，變成原始的、毫不動人的自然。

慈光院

再看看大和小泉的慈光院吧。

這座寺院是小泉的藩主、著名茶人片桐石州晚年建在其領地內的菩提寺。他是第四代德川將軍家綱的茶道老師，摯愛「寂茶」，寺中設有二疊台目（面積僅有二又四分之三張榻榻米大，四分之三張榻榻米稱「台目疊」。只放置最簡單的點茶工具，是草庵式茶室最為清寂的配置）的茶室，頗有些鄉下隱居地的感覺，規模也不是很大。

沿著坡道往上走，踩著葺石（古人為防止古墳坍塌，會在其表面貼一層碎石。慈光院的石板路用的就是坐落在附近的垂仁天皇陵的葺石）拼成的林蔭小路，跨過野趣十足的茨城門。四下環境清幽，頗合石州的口味。穿過質樸的玄關，便進入了書院。

此時，無限明亮的寬廣平原突然出現在開放的走廊之後，大和盆地盡收眼底。盆地盡頭是三輪山、纏向山、布留和石上周邊的高圓山、春日山、若草山等大和連山勾勒出的全景，鬱鬱葱葱。

平原上行駛的火車像豆子一般大小，車頭噴出些許蒸汽。成片的耕地間有幾條白色的小徑，路上有三四輛移動著的自行車和公共汽車。樹木環繞的民宅零星散布。小學的白牆和操場。小工廠的煙囪。左手邊，遠處若草山的綠色比周遭亮上一度。山腳下，東大寺大佛殿的屋頂和五重塔若隱若現。奈良的街景則是黑壓壓的一團。這裡很平靜，卻有鮮活的生活氣息。

在這片風光闖入視線前，一切的一切都是狹窄、低調而清寂的。你的眼睛剛剛適應，就邂逅了出乎意料的精彩景色。這一帶古時候都是耕地，放眼望去，應是綠油油的一片。

視線移至近處，略顯狹小但精心打理的庭園映入眼簾。這座園子出自石州之手，情趣盎然。幾乎所有樹木都精心修剪過，也是它最顯著的特徵之一。

右｜慈光院碎石拼成的步道　大和小泉
左｜慈光院的茨城門　大和小泉

右手邊高山聳立，足有十二三尺高。庭園鋪著沙石，其後大致中央的位置栽種著若干比山低矮許多的樹木，層層疊疊，擠在一起。左手邊是更低的樹籬隔斷，只有三尺多高，流利而連貫地將遠景與近處的庭園區分開來。

樹木枝葉間沒有多餘空隙，也沒有參差不齊，它們被打理得緊湊而整齊，顯然是山岳的喻體。自中世以來，眾多庭園用石塊再現北宋畫風的景致，但慈光院另闢蹊徑，用修剪過的樹木實現了更沉穩、更不容易讓人產生隔閡的戲仿，雖然修剪樹木同樣有人為成分。

可以說，修建這座庭園時沒有借鑑北宋的時髦手法，而是回歸到所謂的「日本體質」，不過與民族性相關的問

慈光院書院前庭精心修剪的樹木　大和小泉

題是非常複雜的。與直接接受國外刺激相比，哪種形式更加日本？這個問題無法在這裡展開，也不應該在這裡探討。

無論如何，這都是一種相當獨特的抽象化與形式化。（不過，日本藝術的特徵就是這樣。不通過形式化切斷與自然的聯繫、確立反自然的元素，而是進一步深入自然，將其純粹化。這種挑戰自然的方式也算非常特別了。）

然而，要是不管園外風景，只看這座園子，它便顯得單調而平凡，淪為不會給人多大觸動、有自知之明的風雅世界。

站在借景的角度去看庭園和外界的關係，你會發現，園中修剪得較為圓潤的樹木輪廓是在複製大和群山平

從慈光院書院眺望大和平原　大和小泉

順、平凡的輪廓線，並未與自然形成嚴格的對比。

石州雖為大名茶人，卻也寫下了有名的〈侘之文〉（侘びの文），以寂茶為上。在這座為晚年隱遁閒居所建的寺院裡，似乎找不到對抗、挑戰大自然的激情、青春與氣概。乍看之下，它只是老老實實地配合、順應自然。

可一旦仔細觀察，你就會意識到此地絕不尋常。茶的貴族氣質與平民的質樸在石州身上實現極端的統一。他非凡的秉性強烈地貫穿了這座庭園。

將樹木分成三層，便將動感融入植物起伏的輪廓。這種抽象形態的結構看似平靜，卻暗藏洶湧。每一片葉子修剪過的切口都帶有強烈的質感，彙聚在一起，讓一望無盡的平原和平原後的平緩山巒等平凡景色，也跟著緊張起來。

換言之，庭園之外是平凡的自然，而這座由刻意修剪的樹木組成的庭園，是虛假的自然。庭園看似順應自然，卻傳遞出非比尋常的情感，在借景上獲得成功。成功的關鍵，就在於虛實碰撞。

可惜中間那叢樹的正後方已經多出一片相當高的紅松林，遮住了背景的原野。拜松林所賜，庭園的設計效果怕是打了個對折也不止。松樹長得肆無忌憚，擋住了層層疊疊的山體褶皺，硬生生地把詮釋「宏偉山巒」的樹木，打回原形。於是整座園子顯得愈發狹小。樹木的質地與遠方原野的擴散光原本是相輔相成的對比關係，無奈松林從中作梗，影響了對比的效果。

當麻寺中之坊

既然講到了慈光院，就順道看看另一座據說同樣出自石州之手的借景庭園——當麻寺中之坊吧，其風格和慈光院略有不同。

這裡因中將姬的蓮絲曼陀羅傳說而聞名。

庭園正對著一座不高卻非常險峻的山，抬頭可見。與慈光院正相反，這座庭園的

右｜當麻寺中之坊的庭園後方是三重塔，近處是心字池。其後的四尺土牆被中央的門打斷。上圖中的門是後來添的，有弄巧成拙之嫌。
左｜從當麻寺側面拍攝的四尺土牆

情趣在於高調逼近眼前的自然。抬頭望去，朱漆三重塔（天平時期，七二九年～七四九年）聳立在懸崖之上，右手邊樹叢後則是西塔。雙塔優美而莊重，有著沉甸甸的震撼力。

狹小庭園借用的就是這些景觀。園中占地面積最大的是結構複雜的心字池和三塊茶室前的露地，但心字池形式上缺乏張力，園內景觀頗遜於庭外景色。從借景角度看，當麻寺中之坊算不上成功。

但我想請大家關注兩種異物之間的媒介——一道僅三四尺高的土牆。它橫亙山腳，形成一道界線，強有力地壓制住朝庭園逼來的山體，還抵住許多岩石，鮮活地強調出愈發粗暴的激烈關係。

這道土牆調轉了庭與山的比例，增強近景的同時，借入後方山體的質感，並把它推到遠處。

要是沒有這道土牆，或只築一道正常高度的圍牆，這座園子就會顯得更小，前方的塔與山也會沉重粗暴地壓過來，讓人無從招架。

這道矮牆成了有隔斷色彩的媒介，使庭園勉強站穩腳跟。如此看來，當麻寺中之坊也不失為一座別有風味的園子。

大德寺方丈、真珠庵

大德寺方丈的前庭有一片寬闊的沙灘，沙灘後是三塊巨大的立石，配以精心修剪的樹木，景致相當宏偉。但是與之相鄰的方丈東側狹長逼仄，幾乎呈直線擺著十六塊石頭，呈現出截然不同的情致。

寺院地處洛北地區的紫野，古時周遭是一望無際的田地。置石組合背後有一道低矮的樹籬，古人的視線也許會越過它，遙望遠方的比叡山。站在走廊上能看到地勢更低的茫茫紫野，還有泛著波光的加茂川。據說古人把比叡山比作富士山，把加茂川視作大

大德寺方丈南庭　京都
圖中的三塊石頭代表本尊佛與側侍佛的組合，後方隱約可見借景的山巒。

海，把河畔的松林當成三保的松原，享受景觀之樂。在虛榮心驅使下，古人經常這樣牽強附會，想像眼前的景色是某個著名景點。這樣做除了讓原生態的感動大打折扣之外，毫無意義可言。不過有了上面那些比擬，就不難想像：當年借景後的園子肯定和今人看到的大不相同。

比叡山表面呈紫色，人稱「紫峰」。藍天白雲襯得它分外偉岸。放眼望去，眼前盡是鮮豔的綠色；時至夏末，則是波濤起伏的金黃。兩道略矮的樹籬將遠景與庭園明確分隔開。近處色彩寡淡的灰白置石組合與遠景一定會形成鮮明的反差。可想而知，大德寺方丈前庭當年肯定相當有看頭。

大德寺方丈東庭　京都

寬政十一年發行的《都林泉名勝圖會》中就有大德寺方丈的圖畫。畫者巧妙地描繪出遍地紫野的景象，看來那時庭園很大程度上還保有剛建成時的模樣。

然而，《都林泉名勝圖會》的作者大概從未想過我說的「辯證式的高級借景技術」——以天空為媒介的虛實處理有怎樣的意義，書中插圖僅是單調的平面圖。即使如此，仍可從圖中大致看出比叡山、紫野與庭園的關係，十分耐人尋味。

遺憾的是，如今樹籬外的樹木已經連成一片，中景成了雜亂無章的街景，毫無風情可言。

方丈後的真珠庵也有一個小庭

《都林泉名勝圖會》大德寺方丈　京都

園，由著名的一休和尚所建。它也面朝比叡山，園中同樣運用借景的手法，橫著擺了一排石塊。可惜不遠處是一片擁擠的民宅，把景色幾乎都擋住了，使庭園的視野比方丈那邊還要雜亂。用來切割借景的兩道矮樹籬外，多了一道後人建造的高大土牆。

沒了借景的襯托，這組置石只能蜷縮在地面上，空剩單薄的形式。

方丈東庭的布局被稱為「十六羅漢布置」，也叫「七五三置石」。石塊位置彼此呼應，十分精巧，但整體效果與含義已經不復存在。當年它們的配置與前方遠處的山峰輪廓必然相映成趣，否則就沒有借景的效果了。

硬是要今人站在走廊，視線越過

從大德寺真珠庵走廊看置石　京都

撲面而來的土牆，穿過不遠處的樹叢、民宅望到若隱若現的山脊稜線，由此想像小庭園中石塊原本的模樣，並解讀其中意趣，恐怕是強人所難。

沿著矮樹籬擺放的石塊中，有一塊居中放置的主石，比其他稍大一些，顯得更沉重強韌，分外搶眼。很顯然，它和高聳入雲的主峰——比叡山有對應關係。

比較的同時，讓我們將視線轉向兩旁。前方主峰「實」的輪廓線，和庭前的「虛」線是怎樣交織的？與其他山峰、石塊形成了怎樣的複雜關係？——大家焦躁又心煩，踮起腳，伸長脖子，一次次變換視角，卻還是看不透。

真珠庵置石組合的石塊比方丈前

從大德寺真珠庵北側看置石　京都

的置石小，但配置更精妙，兼顧了多樣性又顯緊湊，很有味道。

我覺得這組置石和龍安寺石庭的置石有相似之處。兩者手法相通，對石塊的處理手法應屬同源，只是規模與位置完全不同，很少有人能一眼看出。

那麼這兩座庭園的建造時間誰先誰後，又是誰影響了誰呢？這就不好說了。真珠庵在戰國時代毀於兵火，方丈於寬永十五年（一六三八年）重建，庭園自然也是在那之後落成的。龍安寺石庭的歷史似乎悠久得多，但它的建成時間眾說紛紜，沒有定論。

龍安寺的庭園的確更考究一些。一般來說，「更考究」的一方往往是建築時間靠後的。「創新」的結果只可能有兩種：要麼是手法更趨完美、效果更為細膩，要麼是淪為似是而非的殘品。若說龍安寺是前者，那麼將方丈東庭歸為後者也未嘗不可。當然，這只是我個人的直觀感受。

《都林泉名勝圖會》寬政年間的龍安寺　京都

龍安寺石庭

龍安寺的置石組合包含更多值得展開的問題。

石庭周圍是茂密的森林與夯實的土牆。白沙上的置石彷彿被塞進口袋的詭異寶石（第一二九、一九七、一九八頁）。但這裡說不定也曾是一座借景庭園。

如今，土牆之外遍布高大的松樹，視線受阻，否則想必龍安寺還保留著《都名所圖會》裡描述的模樣：「北覆衣笠山，南側開闊，冬去春來，溫暖的空氣第一時間湧入院中。」

不過，在《都林泉名勝圖會》中，龍安寺外已經有了相當高大的松樹。有人推測，這幅插圖描繪的正是石庭建成

《都名所圖會》安永年間的龍安寺　京都

不久時的狀態。

龍安寺方丈在寬政九年(一七九七年)毀於火災。兩年後的寬政十一年，人們把西側支院(西源院)的方丈移建過來，這才有了我們今天看到的方丈。根據《都林泉名勝圖會》的文字說明，插圖繪製於「燒毀」與「重建」之間。

不過，安永九年(一七八〇年)出版的《都名所圖會》出自同一位作者之手。書中繪有龍安寺失火前的全景，方丈前面並沒有形似庭園的區域，解說文中也完全沒有提到石庭。

書上寫道：「方丈庭前的假山與池邊風景依勝元的喜好所建。」看圖便知，當時的庭園和今天的石庭完全不同，下方的池塘才是它的核心。人們

龍安寺石庭正面　京都

心中不免產生疑問：也許那時方丈還沒有石庭？

這本書不是唯一的佐證。前些年，人們修葺土牆時發現，粉刷過的牆體下有火燒過的痕跡，很有可能是寬政年間的方丈火災留下的，然而，比土牆更靠近起火點的置石組合上，卻找不到一絲一毫火燒的痕跡。於是有學者提出，石庭應建於火災之後。

若真如此，那麼石庭建成時的周邊環境就是和《都林泉名勝圖會》插圖所繪完全一樣，跟我們今天看到的相差無幾；這意味著它不可能是一座借景庭園。但圖注文字指出：「後來牆外古松越長越高，擋住了原來的風景，這又從側面佐證石庭原本就是借景庭園。」

龍安寺石庭側面　京都

有關龍安寺石庭的建設意圖、時間與建造者等信息，學界眾說紛紜，每一種假說都有相應的依據與動機。

有人認為石庭建於室町時代，是禪院式枯山水的代表作，置石的配置手法很大程度上繼承了鐮倉時代的傳統，是那個時代的典型。（和其他名園一樣，石庭出自相阿彌之手的說法廣為流傳，龍安寺的導覽手冊上就如此介紹，還有一群現代文豪盲目地鼓吹這一假說，儘管這是徹頭徹尾的謊言。）有人說石庭的設計者是江戶初期的茶人金森宗和。上文所說「建於寬政年間」則是又一種觀點。還有人爭論刻在石頭底部的「小太郎、德（彥？）二郎」究竟是作者還是建築工人。總之，學界至今尚無定論。

其實，只要以文獻為原材料，充分發揮想像力，拼湊出一套說法還不是易如反掌嗎？

後人確實在白沙下面挖出了櫻花的殘株，也許這座園子以前不只是簡單的石庭。據說龍安寺方丈的庭園一度以垂櫻聞名。據史料記載，關白豐臣秀吉（豊臣秀吉）行獵途中路過此地，曾被白雪落在櫻花上的美景打動，作了一首和歌。

庭園失火後，樹木盡毀，徒餘石塊。但這副慘狀倒別有一番情致，於是人們把留下來的石塊整理、配置一番，以別出心裁的創意方式重新展現在世人面前——這種可能性也不是完全站不住腳。

每座庭園都有自己的命運，這條路充滿了各式各樣的可能。正如前文所說，我們不能拘泥於繁雜的考證，最重要的是它們擺在眼前的樣子。從現在的模樣出發，發揮豐富的想像，讀懂更高層次的含義，才是我們該做的。

年輕時，我在巴黎參加過抽象藝術運動。初見龍安寺方丈庭園的照片，頓時對祖國的藝術傳統產生巨大的期望（見「阿爾普與點景石」一節）。回國後，我懷揣著這份沒有任何附加條件的期許，去了龍安寺。然而，一看到實物我的心就涼了。

也怪我期望太高。造型是現代藝術最重要的，也是永恆的課題；我認定龍安寺與造型問題密切相關，是一個正確的範本。但事實上，我只看到情趣層面的裝腔作勢，和唯心的自以為是。這種不潔感甚至讓我不舒服。

後來，我聽說這座園子運用了借景手法，能俯視京都盆地，又可遠眺群山。大德寺真珠庵的借景式置石組合與它極為相似，可見這種說法可信度很高。如果真是借景庭園，那就得重新評價石庭了。

如今的石庭，逼得我們不得不將注意力集中在幾塊受困的石頭上，很容易使人陷入詭異的感觀陷阱。假若石庭前方景致開闊，站在方丈望向庭園，就能看見右手邊的雙丘。盆地中央則是細膩整飭、古色古香的京都街景，叫人倍感親切。木津川在眼前橫穿而過，以男山八幡為中心的河內群山連綿不絕。如果庭前是這些景色，置石與這些景觀之間必然存在對應關係。

站在大自然的對立面，將其作為另一個極端引入園中。如此一來，老成世故的石塊就承載了巨大的氣度，遠遠超過本身的意義。它們也隨之豁然開朗，綻放出鮮活的光彩。

石塊周遭除了白色，再無其他色彩，與遠山和中景形成了鮮明的對比，使石塊更為突出。

既然如此，無論史學家與其他專家是否有不同意見，我都決定把龍安寺石庭定義為借景庭園，在此前提下觀察、分析。

令人吃驚的是，借景明明是我國藝術史上最獨特也最高超的技法，隨著時代的變遷，運用這種技法的庭園卻被一一破壞，失去了建造的初衷與本質。這種扭曲是日本文化史上的一大問題。

大德寺會淪為今天這般模樣，是人口自然增長與城市擴大所致，任誰也無可奈何。但龍安寺和另外幾座園子不存在這個問題，只要把破壞結構的樹統統砍掉就行了啊……我之前也提到了，這些礙事的樹自寬政時期就有了，真是可悲可嘆。

不過如今的石庭呈現出一種奇妙的和諧。土牆搭成的「畫框」將它圍住，後山的杉樹為其蒙上一層厚重的色調。這些沉默至極的石塊究竟是做什麼用的呢？

來龍安寺參觀的國內外遊客，都會震驚於置石組合無比唐突的虛無感和神秘感。但我沒有被這種障眼法蒙蔽，它太過虛假。所謂的神秘感毫無意義。

人們迷失初心後拋棄的東西本就是不可思議的，有一種特殊的魅力。這是不爭的事實。我們只要把它看成一件物品，原原本本地接受就好。可偏偏有人要牽強附會，將其神秘化。這是受困於軟弱精神的結果。

無性格造就的鮮活

不如說，借景式置石組合本身是無性格的。若只是單純的置石，它們的排列就顯得非常平面化，沒有最大限度地釋放魅力。但在借景層面，平面性與無性格則是重要的手段。

借景所利用的自然也應該是無性格的。只有這樣的景色，才能在借景的作用下，鮮活起來。如果借用富士山這類本身已很完美、很有看點的風景，就無法打造出一座能令人震撼與感動的借景庭園了。

庭園內外的景色都是無性格的，沒有什麼引人之處。但借助中景的天空牽線搭橋，雙方便展開一場本質的對決，在新的層次渾然一體，首次呈現出令人驚異的性格與風貌——傑出藝術作品所用的素材往往都很普通、很平凡，經過創造者的藝術性代入，司空見慣的材料才迸發出不同尋常的個性。震撼與感動便由此而生。一個作品如果只顧展示素材的有趣與稀罕，反而無法產生藝術層面的觸動。仔細回憶，你會發現身邊不乏這類例子。

所以，只關注眼前的石塊，煞有介事地陷入沉思，或自以為找到了個中玄機，其實非常荒唐。長久以來，龍安寺始終讓人們驚異，在大家心中無比神秘。但最終也沒人能真正理解它，不過盲目地追捧罷了。我看，這就是知識分子一手寫就的鬧劇。

借景著實是值得世人讚嘆的技法，在本節最後，我們再重溫一下其中精髓吧。借景，就是在庭園中人為搭建一個完全抽象的虛空世界，以便借用園外的自然實景。然後再把兩者抽空，或用低矮的樹籬、土牆畫出明顯的分界，將虛與實澈底隔開。牆本是最具散文色彩，也最實用的東西。但在自然景觀的正中間拉一道牆，就能巧妙地切斷空間，轉化為藝術的世界。多麼令人驚愕的技法啊。

如果只醉心於自然，大概不需要這條分界線。哪怕非築牆不可，也能借助造園技巧毫不費力地把牆藏起來。而且大多數借景庭園的地勢較高，不費吹灰之力就能藏一堵牆。若真如此，庭園又會像我之前說的那樣，變成人工與自然的簡單相接，失去藝術與空間層面的魅力。

在劃清界限的那一刻，自然成為真正的自然，人工成為真正的人工；實成為真正的實，虛成為真正的虛。兩個對立的極端高度緊張，相互作用，迸發出激烈的火花。

不得不說，這是一種與當代藝術的最新課題直接相通的、令人驚愕的辯證式技法。

反自然的技術

食盒文化

自然環境會對人的性情產生決定性影響，賦予其文化性格，這是顯而易見的。尤其在未開化的時代，自然對人類生活的決定性作用更是根深蒂固。在一個民族的風俗習慣、神話傳說中，都能明顯感覺到環境的氣息。對於在島上生活、被限定在固定自然框架內的日本民族而言，更是深入骨髓的宿命。

今日，我懷揣對祖先文化的遐想，周遊大和（今奈良），再順道拜訪京都，靜靜追憶往昔。環視四周，我竟生出這樣一種感覺——日本文化好像被塞進了狹小的食盒。這是一種焦慮，一種絕望。

平緩優雅的群山環繞中的小世界。寧靜的平地。細膩的水流。沒有憤怒，也沒有激烈的快樂，更看不到苦惱。正因如此，也不存在任何抵觸。我們的祖先選擇這樣一片土地，讓文化扎下了根。

十多個世紀中，他們守著這方天地，構築起自己的文化。

這群山的模樣，平原的表面，穿行田間的水流，不正是過去日本文化呈現出的樣貌嗎？莫非只是我的心理作用？這些景象，彷彿象徵著這片土地的宿命。這種怡然自得的暴力，甚至點燃了我的怒火。

暴力——我就想用這個詞。下面的內容可能有些自相矛盾。但要生存下去，就必須正確理解生命的整體性。可惜這種環境，讓我們迷失了方向。

大陸的自然廣袤無邊，震懾人心，迫使人們時刻與異物交流、對抗。中國這個大陸國家就是典型的例子。自然環境以不容置疑的形式出現，將與它相處的法則拋在人們面前。墨西哥、埃及等國家所面對的，則是完全裸露的荒漠與巍峨群山，那是赤裸的世界。越是這樣的地方，越能孕育出激烈的反自然、與自然對立的精神。但我們的祖先面對的自然太易於適應、太稱心如意了。

從這個角度看，奈良和京都是兩個十分相像的食盒。

奈良時代（七一〇年～七九四年）之前，人們還保留著古代純正的習慣。每一代天皇繼位後，都會把都城遷往新址，有效避免了對某種環境的過分依賴。大陸高度發展的文明又源源不斷湧入日本，從根本上震撼、推動了這個小世界。

壯麗豪華的堂塔伽藍如雨後春筍般拔地而起。上古時代的日本人怕是做夢也想像不出那樣的景象。讓人們驚呼蕃神相貌端嚴的金銅佛像供奉在殿堂之中，視線所及盡是以人工之美見長的絢爛裝飾。都城被東西和南北走向的直線道路規劃得井然有序，大規模的反自然都城制式得以構築。官府發布告示，官吏府邸必須有刷著朱漆的柱子、雪白的牆壁和瓦片屋頂。這就是所謂的文明開化時代。

上代的日本人與自然共生。他們將山海河川世間萬物奉為靈物和神明，崇尚質樸的泛靈論，即一種相信萬物有靈的原始的心性與世界觀。對他們而言，上述轉變無異於一場大手術，被迫與自然斷絕關係。

當時的大和朝廷雖已確立了統治，但古代氏族之間的流血鬥爭卻還遠未平息。那是一個激烈動蕩的時代，萬葉人對自然的敏感也帶有兩極對立的緊張。

誰知在延曆十三年（七九四年），朝廷遷都於山城宇多。自此後，直到十七、十八世紀的元祿年間，文化中心在這裡穩穩扎根了一千年。政治上，藤原氏的權力如日中天。遣唐使制度被最終廢除（寬平六年，八九四年）後，日本幾乎進入鎖國狀態。能夠震驚、撼動文化世界的元素，也隨之消失。宮廷女官創作的宮廷文學，彷彿完美呈現了這個世界的情感與喜怒哀樂。

翻過一座山頭，就是強盜和凶神在光天化日下出沒的異境。然而，貴族們在環繞平地的山中要塞安排了身強力壯的士兵，供奉守衛邊境的守護神，將所有異物與自己生活的環境隔開。他們把魑魅魍魎、光怪陸離、必須正視的真實、正確卻可怕的事物，統統歸為不可思議且與己無關的東西，推進山林，打造一座平安的都城。

日本本就是島國，我們的祖先又在島上建了一堵牆壁。放棄懷疑精神後，狹隘的視野與簡單的自我滿足成了食盒文化的宿命。

祖先的選擇很明智，但從文化和人性的層面看，在平原大地的庇佑下生活豈不會把自己變成井底之蛙？

在這狹小的文化圈裡，萬世一系的天皇竟傳承了一百數十代。這絕不是什麼值得驕傲的事，而是無可救藥、死氣沉沉的象徵。

確實和平，然而和平中沒有精彩，故步自封也毫無意義，是虛偽的和平。在日本的歷史長河中，讓文化窒息、強迫人沉睡的暴力，不正是這個封閉的世界嗎？

環抱都城的山巒表面上為人們提供了溫柔的懷抱，實則是頑固守舊的圍牆。人類生命的奔湧與矛盾，都被這堵牆隔絕了。

在食盒中，貴族們構築起單純淺顯卻狹隘呆板的世界觀傳統。這樣的生活金玉其外、敗絮其中，平民百姓如黴菌一般苟延殘喘地生活著。

不存在本質對決的荒漠中，消極自保的普適性成了日本文化的性格之一。這絕不是值得高興的事。

禪的自然觀

日本文化的命運自然而然地體現在造園技巧中——只不過轉化為絕不與自然對立、在情感上依靠自然的精神。

用食盒盛裝大和繪風格的自然，一點也不突兀。從享樂與消遣的角度出發，將自然複刻在庭園中，是當時庭園的特徵。

設計庭園的主導思想，是「參照青山綠水、各國名勝，將有趣之處化為己有」（《作庭記》）。古人甚至認為，設計再精妙，人工搭建的石塊也遠不及天然山水。所以那些略顯荒唐的設計，如再現天橋立的景觀、在院內烤鹽製造烟霧，模仿使用鹽釜（熬鹽的鍋）的樣子等，都會受到世人追捧，成為所謂的名園。

然而到了中世，一場思想革命在日本爆發了。

禪宗的崛起是引發這場革命的導火線。這種高層次哲學在鎌倉時代從中國傳入，風靡日本文化界。有中國特色的積極自然觀也一起到來，其核心是「激烈地凝視自然、理解自然」。自此，日本庭園形式便產生了天翻地覆的變化，綿延至今。

從鎌倉時代到室町時代，武士與僧侶占據統治地位。這兩個階級的生活沾染了濃重的禪文化色彩，住宅形式從貴族味十足的寢殿式建築變成禪院式建築。王朝時代之前，庭園是嬉戲、舉辦各類儀式和單純用於欣賞的多功能大花園，與日常生活密切相關。但時至中世，人們將一切實用性趕出庭園，打造帶有冥想性、純粹且特殊的自然空間。當然，庭園中的自然貫穿著深奧的禪宗世界觀。

禪學雖屬佛教範疇，但不像天台宗、真言宗，在抽象和形而上的層面一味追求真理；也不似淨土宗，一心想要勾勒出莊嚴華麗的彌陀極樂淨土，或通過堂塔伽藍、繪畫與雕塑詮釋淨土的美好，將其渲染成為皈依的寄託。

現實世界既不形而上，又不夢幻。它是實實在在的真理的世界。每個凡人都是一尊佛，關鍵在於能否悟道，即覺察。禪是這樣一種極富主體性的修行哲學。

每一座山和山谷，甚至一草一木，無不體現著佛祖深奧的智慧，無不是悟道的契機——這就是禪的自然觀。

以往的佛教宗派會建設華美的伽藍，安置金光燦燦的佛像，以壯麗為上。而禪院連佛像也沒有，方丈和書院極盡樸素，但在探究自然之相的庭園中，人們卻用上了絢爛的新技法。

「殘山剩水」等詞語逐漸進入人們的視野。不是樸素地模仿自然，而是提取山水神髓，通過巧妙組合打造一片天地。如此強大的意志，終於在精神層面實現了自然的純粹化與理想化。這個過程中必然少不了「更激烈地逼近自然」等積極思想的支持。

但問題還沒有澈底解決。

這個時代誕生出的如禪院的新式庭園，呈現出與平安時代庭園截然不同的面貌，無消遣色彩，不模稜兩可，也沒有類似大和繪的風格。取而代之的，是幾乎要將宋朝山水畫直接轉化為立體景觀的中國風光，十分引人矚目。這種布景讓人感到陳舊呆板的自然的酷烈。可這展現的不是日本的現狀，而是異域自然風光，且還是被觀念化的自然風光。

對我們來說，這是一種超自然的表現形式。因此，它成了我們眼中的異物，呈現緊張感。可這終究不過是依賴、淪落到自然中去罷了。雖然技法別具一格，但算不上真正的「逼近自然」。

禪是不是太偏重於知識分子和文化人的教養與虛榮？這套哲學到底在日本的土地上扎下了多深的根，留下了多深的切口？這個問題很難回答。至少在庭園的表現手法上，我們不得不說，似乎人們並沒有正確理解禪宗思想。庭園的姿態的確高尚，卻終究不過是仿寫。換言之，它充其量只算是冒牌貨。

如果禪的世界觀真的深深嵌入日本的風土，就一定能深入樸素而現實的日本自然，發現能真正激發其魅力的技巧，進而孕育出適合它的日本庭園。若真能如此，後世的自然觀與文化觀都將被它大力改寫。實在是太遺憾了。

天龍寺庭園就是一個反面教材。據說這座庭園出自夢窗國師（夢窗疏石）之手，久負盛名。庭園背後是富有大和繪風格的嫻雅山巒，山體彷彿一顆端坐盤中的和菓子。庭園中卻造出層層疊疊北宗畫式的「山岳」。在長達數百年的歲月裡，誰都未曾察覺庭園內外的景色是多麼不協調。遙想明治大正時期，人們也是身穿傳統和服、腳踩西式皮鞋、頭頂硬硬的圓形禮帽，還以此為美，認為這副打扮特別紳士、特別文明。這麼看來，把不搭調的東西湊在一起，說不定就是日本獨有的變態傳統呢！

這種不搭調顯然是形式主義過了頭，同時也暴露了人們對樣式的麻木。至於庭園的細節問題，就更不勝枚舉了。

總而言之，這種不搭調的樣式看似是在猛烈地靠近自然，其實只是對其進行觀念上的加工與美化，說到底還是脫離自然。

曖昧的自然主義

這樣一來，就出現了造園最根本的問題——自然與反自然。

即使在今日，大多數人依然覺得日本庭園的最高境界，是運用自然、接近自然的本來面目。但若將庭園看成一種藝術，上述狀態就很奇怪了。

首先，建造庭園的行為本身就已經是不自然的了。為了讚美自然而去模仿自然，向自然靠攏。換句話說，就是把自然人工化。但越是講究，打造出的自然就越是做作。這樣，所謂的人工美就因過度依賴自然淪為一種形式，停留在展開概念形象的層面上。

既不是自然，也不是非自然，而是介於這兩種極端之間，處於曖昧的狀態。在許多庭園中，我都感受到這種安於現狀的氛圍，讓人倍感焦躁與遺憾。

封建日本的自然主義的不澈底就體現於此。明明可以反其道而行之，通過積極的反自然行為挑戰自然、活用自然，一併活用與自然相對的人工美，可惜日本傳統庭園最終也沒摸索到這種技巧。

我總會情不自禁將這種墮落到自然層面的美，與如埃及金字塔和宮殿、墨西哥的古代遺跡等無情而有魄力、呈現出強烈心性之美做對比。它們將精神生活表面的緊張與強韌表現得淋漓盡致，沒有絲毫軟弱，是挑戰自然的人工美，強烈到讓人幾近恐懼。同時，這種美也激發了與其對立的自然，震撼人心的活力與美感在我們眼前展開。

即使沒有如此強大的魄力，西歐庭園顯然也提倡反自然的人工，與日本的造園技術形成對立。庭園描繪的一定是自然這層底色上的形象。無論是義大利宏偉壯麗、面朝地中海的文藝復興式貴族庭園，還是法國、英國的宮廷花園，舉凡華美的庭園都必然依託美麗的自然環境。它們都具備規則的幾何形狀，園內配置花壇、樹木，還有華麗的噴泉，雕塑也隨處可見。放眼望去，盡是反自然的人工美。

中國的庭園也有極強的人工性。神秘的結構讓人目不暇接，配以奇形怪狀的太湖巨石，打造自然與人工的極端對立。皇家庭園其實是觀賞後宮佳麗翩翩起舞的秘苑。由此也不難看出，中日兩國對庭園的理解差異，更甚於中日兩國在料理上的差異。

我不是在長篇累牘地論證西歐與中國的造園技法比日本優秀。在我看來，日本庭園反而更複雜、更精密，呈現出的技法更令人驚異，只是在理解自然的方式上出了錯。儘管缺失真正的哲學支撐，園林技法卻一枝獨秀，發展驚人。日本庭園的品味與韻味絕佳，卻令人絕望（日本藝術界的其他領域也具有同樣傾向）。

表現山的情趣，就用「山的雛形」——假山，或與山有共通之處的岩石。真是樸素極了。

將人工澈底昇華為異物，與自然對立、碰撞，突出自然美，同時人工美在規模宏大的背景中流露出神秘的氣息。人工與自然的緊張關係得到兩個極端的雙重強調——既有鮮活的人性，又極為自然。我們可以把這種關係歸納為「自然性反自然精神」。正是這種精神，激發了藝術的美與力量。

這是當今每位藝術家都要面對的重要課題，也是必須深入瞭解的部分。不過篇幅有限，無法詳述，還是說回具體的庭園技法吧。

西本願寺對面所前的虎溪庭　京都

枯山水

如前所述，日本的庭園技法非常依賴自然。然而，縱觀古今東西，一切能在精神上打動、俘獲觀者，且富有創造性的作品，都必然會用到反自然的技巧，即使自然主義作品也不例外。日本庭園不可能破例。乍看之下是「自然一邊倒」，但深入分析就會發現，日本庭園中也暗含大量反自然技法——因為不用不行，園內各個角落都留下了蛛絲馬跡。

被大幅修剪的樹木就是個中典型。但要在組成庭園的各個元素中，挑出對自然挑戰最大、反自然色彩最強的，那恐怕非置石組合莫屬。大多數情

右｜大德寺大仙院的枯瀑布與水道　京都
左｜朝倉府遺址中的庭園　福井縣

況下，置石披著自然的外衣，實則是極具人工性的重組與統一，無時無刻不在挑戰自然。

人們建造庭園時，似乎沒有從真正意義上察覺這種反自然精神。那些流傳至今的造園秘籍，不是像《山水並野形圖》（山水并野形図）那樣一味強調天地人、陰陽、方位吉凶等非藝術性規則，就是像《庭坪圖秘傳書》（庭坪図秘伝書）、《相阿彌築山山水傳》（相阿弥築山山水伝）那樣，死命地傳授形式化的固定模式，好比真行草、守護石、禮拜石、主人石、客人石等。

這些東西或許可以說屬於非自然範疇，卻算不上反自然。在對自然的認知上，相較平安時代的《作庭記》，後世的造園書籍反而退步了。不過動機、規則和實際呈現的結果是兩碼事，還是從結果著手分析吧。

表現手法極為考究的反自然技法典型莫過於枯山水。枯山水極有目的性地使用反自然技法。配置石塊與白沙，時而配合精心修剪的樹木，不用一滴水就表現出茫茫山水的情趣——龍安寺、大德寺方丈和真珠庵就是如此。西芳寺洪隱山附近、大德寺大仙院、西本願寺大書院前庭（虎溪庭）也是標準的示範。

鎌倉、室町時代，枯山水主要出現在禪院的平庭中，不久後廣泛流行。一些泉水豐富的大型庭園也開闢了枯山水區域，引入枯瀑布、枯流等景觀，增添情趣。截至平安時代，古代庭園都以觀水為核心，中世後觀石逐漸成為新的主題。觀念的變化，也象徵著庭園歷經兩個時代的變遷。

或許我們可以將這兩種主題分別歸為日本型與中國型，對比分析。不過我認為，現在依然存在於日本的舶來文化也是我們的傳統，所謂「中國型」並不是說非日本。反之，思考今日的日本庭園時，若不關注、分析中世之後的「石傳統」，就沒有任何意義了。

也許枯山水的樣式是和禪宗一起，從中國傳入日本的。所以也有人主張「枯山水」

西芳寺洪隱山的枯瀑布　京都

的正確寫法應為「唐山水」。且不論這種說法是對是錯，枯山水的氛圍的確受當時剛傳入日本的新思想，也就是禪宗觀念的影響，可謂是禪宗觀念的集合與象徵。因此它算是在禪宗影響下形成的庭園代表樣式。在沒有水的淺灘聆聽水聲潺潺，在乾燥的岩石表面聽聞大瀑布的轟響……僅是這樣，不就很有禪的意境了嗎？

仔細想想，日本自古以來的庭園傳統中也能看出這門高超技藝的基礎。水向來是日式庭園必不可少的重要元素，也許假山不常見，但一定有水。平安時代的貴族庭園，寢殿正面必然會有一座雅致的小池塘，園中必然有園外引入的水流。這種樣式當時就已

妙心寺退藏院枯池上的石橋　京都

完全成型。

然而，如果這是日本庭園鐵打的傳統，沒水的地方要怎麼辦呢？早在平安時代，就已存在類似「枯山水」或「乾泉水」的說法了。古人把沒有水的庭園稱作「乾泉水」，無論是整座園子或園內某部分沒有水，還是狹小的盆景式庭園，都能用這個詞來形容。

我們想像一下這種情況：園子裡起初有水有石，但後來池水乾涸，人們發現這樣也別有一番風情，便順勢將這種情致利用起來。泉水乾涸後留下乾燥的石塊與原先蓄水的凹槽——我們經常能在荒廢的庭園看到這幅景象，很是淒愴。不過想像有水的樣子，好像還是現在這樣更好些。福井縣越前朝倉府湯殿

南禪寺金地院的鶴龜石　京都

遺址的庭園尤其如此。

妙心寺退藏院也有無水的枯池。這份情趣明顯烘托了庭園的整體氣氛。

這麼看來，枯山水真有可能是從乾涸庭園特有的韻味中，衍生出來的「乾泉水」。再加上平安時代之後，日本人尤為鍾愛無常寂滅。據此推測，沒有水、倍顯淒愴的池塘，一定極大地激發過人們的詩情。也可以說純粹的偶然孕育出全新的必然，提供了絕佳的契機，實現了藝術形式意想不到的發展與飛躍。

我們大可不必緊抓著造就枯山水的偶然性與感傷情懷不放，因為它已昇華成為強大獨立的藝術。這個過程的催化劑，就是我之前反覆強調的技法：

妙心寺東海庵的庭園　京都
（模仿龍安寺建造）

以虛寫實。

不妨看看西芳寺洪隱山後的枯山水。山體表面覆蓋著濕潤的苔蘚，層層疊疊的石塊紋絲不動，倍顯靜謐，卻模擬出迫近觀者的巨大瀑布——飛流直下，水聲滔滔，彷彿還有涼涼的水珠落在皮膚上。用「動靜如一」形容這種狀態真是再貼切不過了。

這的確是枯山水中的傑作。此後，人們又建起技巧性與反自然色彩更強的庭園。它們也被稱為枯山水，但其側重點不是讓觀者感覺到水，而是通過石塊與白沙的配置呈現情趣，是一個全新的類型。

龍安寺、大德寺大仙院、西本願寺虎溪庭（從伏見城移建）、南禪寺金地院和方丈南庭、大德寺方丈南庭等名園，就是這個類型的代表作，妙心寺東海庵則是盛極而衰的晚期作品。

普通人往往認定庭園是對自然的模仿，看到那些別出心裁的置石時，他們的第一反應必然是吃驚。枯山水在這方面的確別有風情，也正因如此，上述庭園才會成為大眾心目中的名園。可如此庭園未必能打動我，甚至還讓我莫名地掃興。

就拿龍安寺石庭來說吧——它散發著一種將自然概念化的奇妙浮華氣息。過分講求形式的大仙院，也留有讓人不太愉快的餘味。虎溪庭、金地院更是走上巴洛克路線，透著桃山時期大名的品味。我不認為它們是藝術的本質，也不會因它們感動。既然用了反自然的人工技巧，為什麼不把反自然貫徹到底，超越虛張聲勢、矯揉造作、浮華和裝腔作勢呢？這樣的庭園，不過是動了點兒和自然不相關的腦筋而已。

如果在一群身著五顏六色的衣服、打扮得花枝招展的人裡，有一個人穿一襲樸素的黑衣，對比就異常鮮明惹眼。我在前一章介紹過，當年光琳就憑藉對比，幫資助者的夫人贏得眾人目光。但這不過是反其道而行的把戲，絕非藝術創造，也沒有將問題正確、勇敢地向前推進的意思。

說這些看似莫名其妙的話，是因為龍安寺石庭和那些所謂的名園，讓我隱約有了這樣的印象。走進石庭的人都會先為它的「虛像」吃一驚。換言之，大家是為園子裡什麼都沒有而驚訝。空間如此寬敞，卻只在五六處地方擺放石塊——感受配置的美感和石塊的形態美之前，先被出乎意料的虛景嚇住了。

況且，京都這座城市本就細膩得如盆景式庭園一般，京都的庭園有多細緻精巧，就更不用說了。整個環境中，只有石庭空蕩蕩，而且不是單純的空無一物。為數不多的石塊，反而增強了虛景給人的觸動。

這些石塊的確有抽象效果。

其他枯山水庭園或多或少都有類似的傾向。然而，就像我著意說明的那樣，這種手法僅停留在反其道而行的小聰明上。

水的確被抽象化了。人們用石與沙表現水，並通過否定的媒介，讓水在新的層面綻放新的光彩。石與沙幾乎站在水的對立面，是與水完全不同的異物。（但若在白沙上畫出波浪以解釋說明，這種表現水的手法則令人生厭。）

山完全沒有經過這種處理。人們用石來表現山，石與山之間沒有任何隔閡，石頭能讓人聯想到山。不僅如此，人們甚至用形狀奇特、神似山水畫中奇山怪峰的石塊，以最質樸的樣式搭出了山的形態。（中世後的庭園的確很大程度受到了山水畫的影響，石頭和山岳的畫法沒有本質區別。）

人們雖然在枯山水庭園中用了石塊，卻不視它們為石塊。雖是石頭，卻不是真正的石頭。所以我認為，龍安寺與大仙院雖是人們心目中的傑作，卻也有不澈底的一面。

好不容易用了反自然技法，開始追趕自然的步伐。可一旦失去這股氣勢，極有可能淪為形式化的自然，比如人們會用「八」字抽象而直接地表現富士山。起初這種意圖新鮮而強烈，久而久之，只要畫一個「八」字，就成了富士山——「八」就淪為單純的符號，成了最低劣的形式主義。我在《今日的藝術》中也分析過這種現象。說枯山水不夠澈底也是這個道理。

日本庭園的曖昧彷彿都體現在這些枯山水庭園中，極具象徵意義。這裡說的「曖昧」是既不澈底與自然融合，也不反自然的軟弱。明明提出一個重要的問題，卻耽於情趣，走向墮落。所以枯山水裡有裝腔作勢的成分，少了藝術的嚴肅。

置石的三種動態

接下來，我們看一看更普遍的置石組合，也就是以最自然的狀態組合起來的石塊。不過如前所述，如果只是照搬園外自然，或模仿自然景觀的外形，就沒有掙脫對自然的依賴，不可能打造出感人的作品。

首先，應當理解石塊的美。石塊的重量、體積、風雨描畫的色調、苔蘚的紋理……

每個細節各有風味，但更重要的是置石組合整體的結構美，以及石塊之間緊密、必然的關係中孕育的動與靜，和由緊張感造就的美。要從自然中汲取精華，再反過來用它們挑戰自然。

在這個過程中，石頭彷彿有了生命，不再是徒有形式的排列組合，而是通過空間與力學結構的動態感打動觀者。

在走訪各家庭園的過程中，我逐漸萌生了一種想法：應當把日本庭園自然置石結構的動態分成三大類。

第一種動態，是岩石破裂、坍塌的模樣。它魄力強大，給觀者極大震撼。第二種動態是大地隆起、噴發的形態。溢出、高漲、再逐漸崩塌，整個過程強而有力。第三種則是在水流推動下滾到某個位置，並就此固定的狀態。使用的是岩石，卻能讓人感受到水的質感。

這三種置石組合可以利用庭園所在地的地勢起伏，通過前文的規則，或以蓬萊、須彌山、鶴龜等主題為資源，將它們轉化成多種形態，視情況加以運用。

說到這裡，大家可能會覺得這類示例隨處可見，其實不然。其中，西芳寺在很大程度上回歸了自然，置石組合也相當合理，以它為例應該最方便大家理解。

好比之前提到的枯山水，就呈現出了「挺拔的同時坍塌」的狀態。我們可以將它看

西芳寺從向上關到洪隱山的陡峭石階　第一種動態　京都

作第一種動態的實例（第一六四頁上、第二一七頁。西芳寺庭園詳情可參閱第一三五頁）。枯山水下方的開山堂前有一組層次分明的置石，粗野而有力地展現出自然的效果，成為西芳寺庭園中我最欣賞的部分之一。每踏一步，置石結構都有細微的變化。線與面的交錯，也使人分外心動（第二二四頁左下）。

另外，山腳下的山門「向上關」周邊有陡峭的階梯與山崖，此處體現出崩塌的石塊特有的激烈質感與體量（第一二六頁）。自然的節奏被充分利用起來，轉化成階梯。這片區域與開山堂前的置石組合同樣出色。

第二種動態，也就是自下而上隆起的石塊，可以在須彌山的置石組合中

西芳寺須彌山置石組合　第二種動態　京都

找到。它位於開山堂下的平地，孤立的狀態在某種程度上弱化了置石組合給人的印象。但也有人說，這組置石原本是鶴龜組合中的「龜」。不難想像，它周圍的環境肯定和原來有很大差別。從最下方的向上關一帶，到這片置石組合；再走石階向右繞一個弧線上到枯山水庭園，再朝左直到龍淵水，這一系列景觀起初必然是用相似的氛圍串聯起來的。既然如此，它們就是一曲構思宏大的變奏，其中一定有某些部分會帶給人強烈的動感。然而，如今位於景觀中心的是平淡無奇的開山堂，整座園林的氣氛都被它破壞了。

第三種動態在哪兒呢？開山堂下方有一座以黃金池為中心的庭園。庭園

西芳寺影向石附近讓人想到流水的置石組合　第三種動態　京都

西南角影向石附近，有一塊小山谷似的低地，其中零散分布的石塊完美呈現出了這種感覺（第一二五頁下）。

匯入池塘的水原本會流經此地。石塊上鮮明地留有水流沖刷的痕跡，據此推斷這裡很可能曾有一座瀑布。可惜水道乾涸，空餘小山谷般的低窪地形。石塊上長滿厚厚的苔蘚。

聽說西芳寺遭受過多次澇災。在這裡，我們的確能感受到被沖刷、挖掘、掩埋的氣息。恐怕如今的置石分布，和剛建成時已經完全不一樣了。不過，就算石塊分布有了些許變化，但只要它們曾被正確放置在水流過的地方，這種設計就必然體現了第三種動態。石塊隨波逐流滾動到某個位置，就此固定。置石的現狀正明顯地體現了這種感覺。這座被苔蘚覆蓋的小山谷，正表現出了流動之相。可以肯定地說，這種深奧的美就是西芳寺下層庭園的核心。

上面介紹的置石組合看似完全屬於大自然，但很明顯，它們是由反自然技法重組而成的。

看出從自然到反自然的變化經過絕非易事，但是聽罷下面的解釋，大家應該就能立刻了然於胸。

假設庭園外的自然中有坍塌的岩石形成的山體景觀，且極具魄力，很有看頭。你恨不得直接把它裝進框裡，原封不動地搬到園子中。然而，從藝術作品的標準去評判它，那份魄力便消失殆盡，讓人大失所望。要把自然景色轉化為藝術，必須從中選出或添加幾個元素。總而言之，要有改動，重新組裝。這是不可或缺的條件。

如果這樣解釋還是有些難懂，那我再用「畫作」打個比方。假設你面前有一片美麗動人的風光。要是你把風光原原本本地畫下來，不做任何加工，那幅畫肯定索然無味，且根本無法傳達實物帶給人的感動。

風景明信片也是一個很好的佐證。明信片的確能幫人們回憶起名勝風景，但未身臨其境的人絕不會為一張明信片感動。大家應該都有類似的經驗。簡單照搬是很無聊的。

換言之，依賴自然不僅算不上藝術行為，還會糟蹋自然給人的觸動。

人們對庭園有一種強烈的先入為主的意念，認為只有再現自然，保留自然原貌，才是庭園的理想狀態。所以技術層面的自覺往往會被忽視。若真想創造新鮮的感觸，或從庭園汲取這種感觸，就必須牢牢抓住這一點。

即使將自然視為絕對，呈現它最原始的模樣，也要先將其從所處環境中分離出來，進行改寫與替換。反自然的抽象作用是不可缺少的大前提。只有經歷這一環節，並成功重組的作品，才能為觀者帶去感動。這是藝術亙古不變的定義。

過去的遺產？今日的創造？

從否定的角度重新審視

作為一名活在當下的日本人，我借助雙眼與身體，親密接觸中世的日本庭園，並與大家分享了我的直觀感受與觀察到的問題。

這個過程中我收穫良多。此前的章節中，我與大家探討了日本庭園令人驚異的造園技法與現存的問題。與此同時，也產生了些許困惑。

前面列舉了過去藝術的傑出之處，它們真的只屬於過去嗎？我從今日庭園的狀態出發提出了若干問題，這些是否可以視為我發現並創造的今日新傳統呢？

如果過去的作品中絲毫沒有能吸引、提升我們的元素，今人也不可能燃起任何激情。如果它們徒有形式，毫無內涵，我也沒必要在這裡長篇大論。

古老的庭園中，的確隱藏著能給人強烈震撼的東西。雖然它們被複雜而令人失望的條條框框掩蓋，但只要用心挖掘，它們就像沙堆中的寶石，深深地吸引並刺激著我們。

更貼切、更正確的說法是——我沒有將庭園視作過去的遺產，並發掘出傑出的藝術本質。若遵從一貫的方法去欣賞它們，就流於形式，毫無趣味可言了。若能用力拋開它們，與它們激烈對決，從否定的角度重新審視，就會突然看到這些庭園截然不同的一面。在這一刻，庭園彷彿化身為全新的當代價值觀，被重新創造。

即使我前面介紹的幾座庭園話題十足，但如果站在常規角度看，也不會收穫任何驚喜，只是覺得和其他老套庭園別無二致——看過我寫的東西，可能會有讀者抱著很高的期望去參觀。但除非你澈底轉換了思考，否則很有可能失望而歸。也就是說，這些庭園中蘊藏的價值必須靠「否定」刺激。

我指出的問題，迄今為止從無人提及，甚至沒有人意識到。從這個角度看，這些問題是庭園本身沒有的，說是今日的創造也不為過。

慈照寺的銀沙灘也好，西芳寺有動感的置石組合也好，借景的辯證法意義也好，我的種種詮釋都是秉持傳統觀念的庭園愛好者意料之外的。他們也許會認為我在自說自話，覺得這些觀點不知天高地厚，大錯特錯。

或許人們建造庭園的初衷與最初設想，也不是我想的那樣。但我壓根兒無所謂。那些秘密都屬於過去。別說是我，就連持反對意見的專家也無法證明孰是孰非，甚至沒有必要證明。

我在前面說過，對我們來說，過去不過是一種藉口。必須背負的責任只存在於當下。既然如此，沒必要因為過去限制自己的精神活動，更沒必要把自己困在觀賞的規矩裡。

過去的形式真叫人吃不消，這些條條框框還包含著大量毫無意義的東西。不過其中也有一小部分有潛力的。雖然不會自己發光發亮，但若能澈底轉換視角，將全新的光打在它們身上，就可能釋放出有現代色彩的光芒。關鍵在於如何辨別，如何發現。過去已逝，卻能在我們手中煥發新生。

要用正確的方式親身碰撞過去，利用從過去提煉出來的，以及今天的生活能從過去得到的一切，再賜予它們新的生命。要毫不留情地否定形式化的過去。只有帶上創意，才能從本質上讓現在與過去相連，從而正確地繼承傳統。

最後想和大家聊一聊我對中世庭園感興趣的原因，以及庭園藝術在普通文化領域的價值，為我的「庭園論」畫上句號。

阿爾普（Jean Arp）與點景石

跟大家分享一些陳年往事吧。年輕時，我在法國生活過十多年。巴黎是一座石頭打造的古城。與歐洲藝術家一同工作時，我總會明顯地感到自己是個日本人。

每每聽到有人評價我的作品「有日本味」，我都略感困惑——年少時離開的祖國究竟是怎樣的？日本人和日本文化建立在怎樣的獨特基礎上？又將朝哪個方向發展？

里千家茶庭的飛石　京都

這些問題其實是對自身的本質發問。無論願意與否，上述感受都會深植我的內心。

當然，它和國內日本人的「日本人意識」完全不同。還在日本生活時，幼小的我就對傳統主義色彩濃重的日式觀念心生厭惡。戰前國內所謂的日本人意識也讓我十分反感。同時，我又不認為歐美人站在外部拉出來的東西，從真正意義上抓住了日本的本質。

讓・阿爾普（法國畫家、雕刻家。自達達主義出發，以獨特的形式將抽象與超現實兩種相反的元素結合，打造出詭異而鮮活的雕塑作品。）的工作室位於巴黎郊外的莫東山頭。二十多年前，我在那裡和他進行過一次關於藝術論的漫長討論。

阿爾普從藏書中拿出一本大開本的圖冊，擺到我面前。那分明是德語版的日本庭園寫真集。他一邊熱情地翻著書頁一邊告訴我，日本庭園中蘊藏著令人驚愕的高水準藝術，放眼世界，再找不到第二個像日本這樣將傑出的美感融入生活的國家。還說日本庭園為他的創作提供了寶貴的佐證。

我瞠目結舌。阿爾普感慨萬千地指給我看庭園中的飛石——那飛石的樣子的確有阿爾普的特色。他是當時最前衛的先鋒藝術家。沒想到他的表現手法，竟和數百年前日本室町、桃山時代的審美如此契合。當然，阿爾普和那些點景石沒有任何關係。他創造那些前衛作品的時候還沒有見過日本的庭園。這是多麼奇妙的巧合啊。

在這以前我早已認定日本的古典專搞形式主義，是過去的情趣。沒想到在我不屑一顧的歷史中，還有如此鮮活的、將現代性課題直接拋給我們的文化內容。

被阿爾普這個西歐人當面指出日本古典的出色之處，確實令我意外。不過我也清楚地認識到我們的立場不同。他是站在外面往裡看，而我本身就是日本人。我一邊化解其中的矛盾，一邊與他交流，這甚至讓我感到肉體上的痛苦。

阿爾普欽佩古老的日本庭園中的點景石，我對此一點意見都沒有。我能理解這種純粹的感動，也覺得他有這種反應理所當然。畢竟這是西歐近代文化從沒想過的美學。如果日本庭園讓阿爾普驚奇，讓他感受到發現的新鮮，那對他本人也是很大的提高。

但我的情況不一樣。對年輕的日本人而言，日本庭園承載著外人絕對無法想像的歷史與傳統的陰暗和沉重，讓人無法呼吸，哪怕再好，我也受夠了。

在阿爾普看來，日本庭園是當下的課題。可是對我們日本人來說，它不過是過去的排泄廢物。換言之，我們從截然相對的正反兩面出發，與同一樣東西碰撞，造就了兩種截然相反的態度。

二十多年前，我雖然能清楚感受到這些，卻對日本的古典一無所知。眼看著阿爾普把照片擺在我面前，卻無法理清複雜的心緒，也沒能給他和自己一個具體的答案。

不過，這件事點燃了我的激情。我逐漸產生了一個念頭：不借鑑阿爾普的視角，更不能借鑑傳統派的視角。我要站在現代日本人的立場上，重新審視日本的古典。

無論如何，都要用我這一雙「與眾不同的眼睛」看個清楚。無論是古老的還是新鮮的，我都要親眼見證、親手觸摸今天的日本在世界中的本質。也就是說，我要親自與傳統一較高下。

最終，我在難以抑制的激情驅使下，毅然回到日本，只為與這個國家的本質激烈碰撞。

或許有點岔題，但我想順道分享一下剛回國時印象深刻的事。

闊別已久的日本街景，比我想像中更為雜亂。無論是歷史層面，還是經濟層面，呈現這樣的狀態都無可奈何。但當親朋好友帶我去各處的日本料理店吃飯時，一種分外詭異的感覺向我襲來。

也許這就是所謂的「日式風格」吧。

每家店的壁龕柱子都歪歪扭扭。家具、餐盤、小碟子也透著一股小家子氣，精巧到令人作嘔。起初我真是渾身難受，好在最近已經習慣，不那麼介意了。菜肴擺盤當然是要講究的。色香味俱全固然好，可是除了極少數個例，在菜肴上花的心思都沒有讓人特別愉快。

老成世故，小巧做作，自以為是。一想到日本生活的傳統情趣被這種「料亭式審美」代表，我就怒火中燒。問題是，人們已經莫名其妙地認定，那就是和風的象徵。這無疑是一種扭曲。

豈有此理。日本肯定有比這更健康、更誠實的文化，那才是我想接觸的。這件事堅定了我的信念——一定要面對過去的真正模樣！

於是我立刻動身前往奈良和京都。

我在奈良得到了心靈的救贖。那裡的景色宏偉而莊嚴。現存的基石讓我想像出宮殿當年的規模，流傳至今的美術作品，也不難讓人想見當時的文化——完全沒有現代日本特有的卑微，卻有足夠的重量與力道，足以與歐洲石文化中的經典平分秋色。這大大出乎我的意料。

不幸的是，好不容易燃起的希望，被京都狠狠潑了一盆冷水。

這座城市形式小巧、素雅，還有始於室町時代的、極富情趣的細膩，這些都讓我反感。說剛才提到的「料亭式審美」的源頭就在京都也不過分。我憤怒地認為日本文化的墮落就是從這裡開始的。如前所述，我滿懷期望前往龍安寺，現實卻給了我無情的幻滅。我甚至產生了久未消散的極端情緒：「這輩子再也不來京都了！」

不久，太平洋戰爭爆發。我度過了長達五年的軍旅生活，戰爭結束一年後復員回國，抱著堅定不移的信念，在從頭來過的日本開啟了藝術運動。藝術運動不僅限於創作，還要挑戰每天面對的現實，生活的方方面面都須付出努力。

自此，我時刻與現代日本社會的各種不合理、讓人反胃、無意義與難以忍受的情緒碰撞，這是以前做夢也想不到的。再難受，也得頂住壓力往前走。絕不能認輸，而是要全盤接納、超越現實的不如意，並拋出現實層面上的問題。不管一己之力是否足夠，都要與之正面交鋒，負起責任來。這就是我的觀點。

如果貪圖清爽的環境與舒心的生活，我大可回巴黎去。不干涉他人的生活是巴黎市民的常識。那邊的人更落落大方一些。而且要是成了「外國人」，就更自由了。可我特意選擇留在日本，因為我想繼續戰鬥。

下定決心後再看過去的文化，就會發現它們明明沒有變化，卻呈現出截然不同的面貌。無論好壞，京都都為今日的日本文化奠下基礎，成了現代日本文化的源泉。我這才明白，自己一定要親眼審視這座城市，不能單純把它當作感興趣或崇拜的對象，而是要立足於日本的文化、傳統與宿命，以全新的視角審視、改革它。

對我而言，這不僅僅是評判好壞的問題。我一度否定、百般厭惡的京都，竟在此時讓我萌生強烈的興趣，甚至感受到這座城市的魅力。

所以，我才首先關注中世到近世初期的庭園，並投入大量時間與精力走訪。中世可謂日本歷史的黑暗時代，但今天的日本文化在形式層面呈現的樣式，幾乎都是在那時固定下來的。因此，中世存在許多需要我們挖掘、釐清的問題。在之前的章節中，我已經就這一點進行了分析。尤其是庭園中的生活審美觀，從江戶時代就以非常純粹的狀態一脈相承至今。雖然保留至今的庭園已經和剛建成時大不一樣了，但我們能根據現存的樣貌想像當年的氣氛與規模，甚至感受到曾經住在園子裡的人的呼吸。

批判當然是必要的，可我決定先讓自己心無旁騖地深入庭園，重新審視。於是，它們不同以往的側面漸漸呈現在我眼前。

好比龍安寺石庭吧，之前提到，初次造訪時我失望至極，可重新審視時，它給我留下了完全不同的印象。

還不錯。打造出這樣的氛圍，肯定需要相當了得的精神力量與品味——我竟逐漸讀懂了石庭的趣味。

為什麼一度對它幻滅的我又重新覺察到了個中精妙？這其中依然存在許多問題。

經得起對決的「藝術本質」

第一次去龍安寺的時候，我的期望很高，做了相當多的心理準備，想與石庭盡情碰撞。期望越大，失望越大。這一次，我去之前只想著「它沒什麼大不了的」。期望值設得很低，反而能安心品味隱藏在庭園中的細膩技法。針對日本藝術的本質，批判當然是有必要的，但這一次我懷著某種同情，將個人情緒壓下來，讓自己深入庭園。刁鑽刻薄點說，我品到的好，也許是從心的空隙滲進來的。

仔細想來，被今人視作傳統與古典、煞有介事去讚美的藝術，不都是如此嗎？如果認為它們是藝術的本質，與之正面對決，就會感到幻滅。但稍微放低心態，換一個角度互相體察對方的心思，自然能品出其中的好，也能安心了。細膩的技藝特有的味道頂不住嚴峻的碰撞與衝擊，只有雙向限定自己的情感，才能辨別出味道來。

藝術的字典裡沒有同情，也沒有寬恕。唯有全力與它發生衝突。能震撼全身、抓住人心的，才是真的魄力。

庭園裡很難找到這種有現實意義的、無條件的魄力。它的情趣色彩太過濃重，無法讓人將它視作本質的藝術。

聽到這種觀點，大家可能認為我是站在現代藝術立場上，毫不留情、毫無道理地批判古典。可是回顧庭園的發展歷程，你就會意識到我所言不虛。想當年，建設庭園的是貴族、武士和僧侶。就連這些人也從未將之奉為本質的藝術。庭園本就不是懷著激情，用精神主動碰撞、對決的地方，也不是生活的正面。

在封建時代，即使身居高位也不會像今人想像的那般自由。將軍與大名恐怕也不例外。他們的身分很特殊，還要受到各種社會規則的嚴格限制。最關鍵的是，他們無法衝出這個封閉的世界。於是，內部的相互碰撞就更複雜、更奇怪，也更嚴重了。從鐮倉到室町，就是一段淒慘的相克史與殺戮史。光是遙想這一段歲月，便知道統治階級的生活也不平安喜樂。無常就是這個時代的宿命，建立在這種生活之上。

唯一能讓他們享受到些許自由的，就是大自然，所以當時的統治階級都想捨棄塵世，與自然為伴。這種思想還能讓人聯想到中國的隱士、佛教的修道僧等有求道色彩的元素。話雖如此，庭園卻不是讓人進行精神性工作之所，反而是讓人心無雜念之地。人們不會在庭園中挑戰自然、與自然激烈碰撞。庭園中的自然是人工創造的，但它是現實世界中受傷的人的心靈港灣，是只屬於自己的天地。寧靜的庭園可以為人療傷，給人慰藉。

所以，當年的庭園反映的是人們消極的精神生活。

封建時代的庭園也有一種獨特的生命力。不是積極的超越、創造或針鋒相對，而是用強韌的精神意志面對看破紅塵的消極。換言之，這種「負面的積極」也成了封建藝術的一大特徵，中世的佛寺就明顯有這種傾向。

西芳寺的庭園就是這種負面美的代表，像它這樣讓人強烈感受到孤獨與冥想氛圍的地方，恐怕找不到第二處了。所有的聲與光都被鋪滿苔蘚的庭園吸收，石頭躺在透明的寂靜中。每一塊石頭的挑選都無比嚴謹，配置呈現出正確的美感，其他庭園望塵莫及。

然而，這種積極終究是唯心的，只局限在狹小的冥想領域。和今日的、全新的、本質的藝術不在同一個世界。本質的藝術作用於現實人生，從正面實現創造與變革。審視庭園時，必須先把這一點放在心上。

細細想來，庭園還算是好的了。日本的中世和近世有太多太多被今人視作藝術，其實只是非本質的藝道的東西，如茶道、花道和俳句。當然，爭論庭園、茶道與花道究竟是不是藝術沒有任何意義，它們完全有可能成為傑出的藝術，最終卻沒有發展到那個地步。這是長久以來的封建性和以鎖國為基礎的惡劣社會條件使然。

但請千萬不要誤會——常有人高舉什麼「第二藝術論」，大肆探討某種藝術是否觸及根本。我無意給藝術分三六九等，反正那些庭園都是過去的產物，無論它是能否體現藝術的本質，我都無所謂。

正如我反覆強調的那樣，問題的關鍵是如何從當下出發，聚焦庭園。要是認定庭園是背面的、非本質的，就此結束討論，那這個結論沒有絲毫深度可言。

不應該糾結古人建設庭園的動機，而是要以今日的藝術為立足點，從更嚴肅、更高層次的立場出發，與它激烈碰撞。

每個時代都有經得起這種對決的東西，唯有這樣的內容，才能化作傳統，為後人傳承。

第五章

傳統論的新展開

——無限的過去與受限的現在

我一向認為，「傳統」一詞極具革命色彩。一旦衝破陳舊的形骸，那些陳腐內容——人類的生命力與潛能就會絢爛地綻放、鋪展開來。傳統，就是這種變化的原動力。

傳統不同於舊習，它必須活在我們的生活與工作中，從現在的人生意義出發，有效地理解過去，重新評估它的價值。在此過程中，過去會轉化為新的問題浮出水面。新時代無時無刻不在重新審視過去，只有經過「否定性的肯定」，過去才會被賦予價值，成為傳統。因此我們完全可以說，傳統不屬於過去，應當屬於當下。

可長久以來，人們習慣把傳統放在封建道德體系與封閉的工匠行業中理解，把它看成陳規舊制。即使在今天的大多數時候，傳統依然是學院派權威用來維護自身地位的工具，發揮著保守的作用。出於對這種毫無意義的賣弄的憤慨，我寫下了《日本的傳統》。書中飽含我的激情，也是我藝術活動的作品之一。

我原以為自己的革命性傳統觀之激進，必然會遭到強烈反對。沒想到曾與我對立的人居然也認為我說得挺有道理，向我妥協了。大吃一驚的同時，我忽然意識到，也許日本人總把「傳統」二字掛在嘴邊，卻沒有一個強大的、貫穿古今的傳統觀念。

說起傳統，人們就像取到惡鬼的首級一樣得意，殊不知這是明治後期才出現的新詞，譯自英語 tradition。傳統主義者總愛擺出一副權威的嘴臉，列舉一大通所謂的傳統，其實那些東西並未在新日本的血肉中留下決定性的痕跡。人們視作傳統的東西被捧得越高，就越不新鮮，越與新生代無緣。無論內容還是樣式，都是如此。在之前的章節中，我已經用許多實例向大家一一證明。它們不禁讓我懷疑：日本是不是壓根兒就沒有傳統？

「傳統」一詞誕生於明治時代，是當時的官僚為了對抗排山倒海的西歐化浪潮和隨之而來的近代社會體系趕工拼湊出來的。

西方有美術史，我們也得有——在這種想法的驅使下，官僚們套用西方形式，套一個看上去差不多的東西。然而，那不過是簡單的應用。明治初期高喊廢佛毀釋時無人問津的寺院與佛像，突然被定義成「日本藝術的根源」，只因為它們可以對應西歐文化史中古希臘、古羅馬的雕塑。這麼說來，桃山時期對應的就是文藝復興了——巧了，剛好能對上！這樣的「文化史」分明是生搬硬套的產物，沒有世界觀與傳統觀貫穿其中，其實和三題相聲差不多。

雖然這個文化史東拼西湊、粗製濫造、徒有形式、只顧賣弄，耐不住有文部省撐腰，將它推上權威寶座。於是它就成了強加在國民頭上的範本，由不得人說一個不字。雖然看不懂，但它一定是好的，這毋庸置疑，多麼可悲！然而，這個國家的學者、藝術家、文化人都很習慣這種官僚主義氛圍。事情一旦被敲定，便無力回天。

問題是，就算那些人為確立的「權威」裝出一副權威的樣子，它們也不可能擁有真正的傳統力量。這也許就是日本人明明對舊事物有極大的依戀，卻消極對待傳統的原因：所謂的「傳統」與大眾生活無關，是人工製造出來的，沒有一絲一毫的激情。官僚選定的東西才是權威的傳統——還有比這更屈辱、更荒唐的嗎？

讓我們具體分析一下。大家不妨做一個設想。

假設你想當畫家。進藝術大學這樣的科班路線自不用說，幾乎所有立志成為畫家的學生，都要從臨摹希臘石膏像學起。臨摹一陣子之後，再開始用油畫顏料，學習西歐十九世紀的學院主義畫風。他們日思夜想的不是浮世繪與雪舟，而是梵谷和畢卡索。起源於古希臘、古羅馬的西歐傳統，反而成了學生們現實生活中最關注的焦點。這到底算怎麼回事呢？

文學領域也是一樣。大家都說《源氏物語》是日本最引以為傲的作品，把《新古今和歌集》和俳句捧上了天。可是真正熱愛它們、為它們感動的人能有幾個？又有多少人的人格建立在這些作品之上？每個知識分子年輕時都為司湯達爾（Stendhal）、梵樂希（Paul Valéry）、杜思妥耶夫斯基（Fyodor Mikhailovich Dostoevsky）、薩特（Jean-Paul Sartre）、卡夫卡（Franz Kafka）或福克納（William Cuthbert Faulkner）等外國作家著迷，靈魂被他們的作品吸引，性格也受其影響。這些人的作品甚至激發了讀者的創作欲望。音樂方面也如出一轍，喜歡某一[illegible]盤津文字兵衛多過貝多芬（Ludwig van Beethoven）和蕭邦（Frédéric François Chopin）的年輕人，怕是打著燈籠也找不到。

那我倒要問了，哪邊才是我們的傳統呢？

其實我們是在孕育近代文化的西歐文明的哺育下長大的。如今這代人穿洋裝、坐電車，也是不爭的事實。人們從小學習、掌握的言談邏輯和理解方式，也在西歐的近代思維體系影響下形成。做出判斷、日常生活和構築世界觀時，也都以這套思維體系為基礎。

我無意表明這種狀態是正確或異常，只想告訴大家這就是事實。換言之，我們必須面對這個現實：別看那些權威說得煞有介事，其實我們並沒有血統純正的傳統。

如果傳統像我剛才所說，是活在當下、能在當下被賦予價值的東西，那麼於我們而言，傳統就會呈現出截然不同的面貌。

傳統不局限於日本有過的東西——這麼想才更現實，不是嗎？完全沒有必要吝嗇地限定自己繼承遺產的範圍。為什麼一提到日本的傳統，大家就只能聯想到奈良的佛像、茶道、能樂、《源氏物語》等已經失去現實效力，與今天的生活毫不相干的東西呢？我們的傳統明明不那麼狹義。管它是希臘還是哥德，是瑪雅還是非洲呢，放眼世界，人類文化的所有傑出遺產——要汲取哪些，捨棄哪些，自然都是你的自由。我們看到的、聽到的、能瞭解到的，能以某種形式因它感動、能受它刺激、能通過它形成新的自己，將它轉化為現實根基的……只有這樣的東西，才稱得上真正的傳統。

所以，我們應該把範圍無限寬的過去統統看成傳統。從這個角度看，日本的那些舊東西離我們反而更遠。以此為鑑，可以清楚地看到自己的弱點。所以我們反而會厭惡所謂的「日本味」，把它們推到一旁。一定要直視這一點，絕不能自欺欺人。

在一九五六年我發表《日本的傳統》時，某位批評家如是說：「我很同意這本書的傳統論，唯一不敢苟同的是『西方的傳統也要全盤接受』這一點。」但我剛才也說了，從某種角度看，我們今天正生活在一個共通的世界中，全世界的因果都與我們息息相關。只有與之正面交鋒，才能立足於腳下的基礎，創造全新的文化。我堅信，這才是人生的意義——傳承人類傳統的同時，讓它綻放光芒。

但如果真是這樣，就有些不對勁了。

雅典衛城、金字塔、古墨西哥神殿、中國商周的青銅文化、佛教藝術、哥德、巴洛克、浪漫主義……如果這些都是傳統，那豈不等於「沒有傳統」嗎？

既然用「傳統」一詞加以區別，就說明這應該是一小部分有限定性的內容。如果什麼都是傳統，那還算哪門子的傳統呢？於是問題又來了：是什麼限定了傳統，將它和其他東西區分的呢？這個問題是有明確答案的。我還認為，新傳統論的關鍵就在於此。

我想提出一個和大眾心中的傳統觀，以及與之相對的世界性完全相反的問題。

迄今為止，大家總認為傳統是特定的、狹義的，好比京都的傳統、薩摩的傳統，再擴大一點則是日本的傳統、東方的傳統，與之相對的就是西方的傳統。人們會用人種、國籍或民族之類的框架截斷過去，將它限定在某個範圍內理解。而封閉的框架與制約，與開放的世界性正相反。延續被這些框架局限住的世界，傳承其特殊性，就是傳統要做的事。可恰恰相反，我們面臨的是無限開放的全球化的發展態勢——這就是人們對傳統與現代文化的普遍觀點。

但這不是正確的態度，我的觀點完全相反。現今，過去才是宏大的、向全世界開放的。我之前也說過，不能被民族、國別這種狹隘的框架困住。所有當下的感動、成為今天豐滿血肉的過去、以當下的感動吸引我們關注的一切，都是我們應當繼承的遺產。對於接受遺產的人來說，遺產是無限開放的。

如果真有什麼東西在用力框定、限制我們，也應該是當下和現實，而非過去。聽上去可能有些矛盾，但這就是真相，是今日的傳統以及由此引申出的藝術的關鍵問題。

時代賦予我們的，我們面對的、無法逃避的各種現實條件，都非常特殊。

我們擁有針對現代文化藝術的寬闊視野，可以討論最前線的問題，也知道今日藝術必須履行的職責。但不可否認，以純粹的形式讓這些東西開花結果實在很難，因為這個世界條理太少，障礙太多。即使心中勾勒的夢想無比美好(勾勒夢想是每個人的自由，當然也是好事)，我們終日切身感受到的仍是隔壁家太太的臉色，和小巷中彌漫的尿騷味。

放眼望去，盡是雜亂無章、索然無味的街景。突然，號稱世界第一的東京鐵塔出現在視野中。這座城市有一碗五十日元的拉麵，有交通事故，有長島茂雄的本壘打，有稅務局，有黑幕選舉，有貪汙官僚，有不知廉恥的議員等，什麼都有。打開收音機，就會聽到噁心的歌謠曲。隨手推開窗，就會看到別人家的煙囪和晾出來的髒衣服。

由此而生的憎恨、哀傷、滑稽——這種難以言喻的感覺，就像把咖哩飯、紅豆湯圓、奶酪、叉燒麵都攪在一起。這一鍋雜燴，就是我們生活中的風土人情。

這類風土人情只在這個國家才行得通。換言之，它極有日本特色，只發生在某個特定的場所和某個特定的瞬間，是非常有局限性的特殊現象。與被昇華過的宏偉、無限精彩的過去一對比，便顯得分外無聊，說荒唐也不為過。

這特殊的現實和世界沒有任何關係，與藝術文化的理想相距甚遠；我們每天都在和這樣的環境、條件對決。這是我們的責任所在。有局限的現實再荒唐、再小家子氣、再讓人無奈，都無法將其抽象化或捨棄。這份煩惱、悲傷、痛苦與喜悅是每一個人都要面對的困窘，也是套在整個共同體和民族上的框架。

面向世界創造，就必須與這種特別的現實激烈碰撞，迴避是不可能的。這種特殊性與劣勢反而是通往可能的鑰匙。但還是有許多創作者看不起或試圖逃避這條充滿困難與矛盾的路，這就是所謂的現代主義者與冒牌貨大行其道的原因。

創造本就非常特別。它是一項孤獨的工作，幾乎只能由自己完成。而且我也說過，如果受到局限的特殊環境是創造的基礎，創造出的東西自然也格外特殊。超越自己，其實就是極端地進入自己，除此以外別無他法。

即使這是一個開放的世界，允許人們將全部過去以遺產的形式繼承，自由地擁有；你繼承的一切也將在狹窄的出口遭到強有力的過濾。在這一瞬間，過去被某種邏輯賦予意義，傳統就此顯現。

在我看來，我們應該將過去貪婪地拓展到無限大，同時把現在的特殊性局限到極致。就像往袋子裡灌滿空氣，再把袋口扎緊一樣。這個袋口，就是現在的自己。鼓鼓囊囊的口袋裡，裝著全世界的遺產和豐富絢爛的寶藏。袋口扎得越緊，噴出的空氣就越猛。噴氣的過程就是創造，袋口的狀態，就是原創性與創造的契機。換個角度看我剛才說的「現實的特殊性」，你就會發現它其實是一件好事，極大地提高了袋口的獨創性。

然而，過去那些傳統主義者的思考正好相反。他們高舉傳統大旗，將過去框定得十分狹隘，卻認為現在是無限開放的。這種邏輯說白了就是：我們是日本人，所以有千利休的審美，有奧之細道的情懷，有觸景生情的細膩和幽玄的品味。我們要以這些東西為基礎，創造在世界舞臺上也行得通的作品。袋子勒得緊緊的，卻敞著袋口瞎炫耀，有什麼用呢？只會裝腔作勢，不可能孕育出猛烈的創造力。

日本歷史的遺產沒有成為推動力，反而成了束縛我們的枷鎖。很有必要動一台大手術，把局面扭轉過來。

日本現代文化擁有數不盡的寶藏，卻把自己搞得低三下四。以全新的視角詮釋傳統，有助於將日本現代文化拉出死胡同，並將其痛快有力地推向世界，這是我們當下必須要做的事。

解說　「創造之眼」

岡本太郎於一九五六年出版了《日本的傳統》。先一步於一九五四年出版的《今日的藝術》以強大的衝擊力，一舉成為暢銷書。岡本太郎的觀點超越美術與藝術的領域，震撼了全社會，改寫了很多讀者的人生軌跡。

該書的最後，他發表了一段對傳統的見解。

不能認為傳統是屬於過去的東西就放鬆懈怠。傳統需要生活在當下的我們重新創造，這就意味著不斷的否定和超越。這話聽上去像是悖論，在邏輯上卻無可辯駁。

其實傳統和藝術一樣，只有不斷否定過去，才能煥發活力。如果認為傳統只屬於過去而不去承擔自己的責任，一味依賴傳統，就等於把傳統「古董化」，扼殺了它的生命力。極端的傳統主義者橫行於世，在極大程度上妨礙了年輕人揮灑熱情。到了今日，我們必須懷著強烈的超現代意識，根除錯誤的傳統意識，主動負起自己的責任，創造出全新的文化。

這段話直截了當地呈現了《日本的傳統》的內容與主題。希望岡本太郎早日出版新書的呼聲越來越高。當時他剛搬到青山，開設了現代藝術研究所，並以此為基地，試圖掀起藝術運動的浪潮。同一段時間，他還操刀製作了東京都廳大樓的十一面陶板壁畫，又為松竹中央劇場與大和音樂廳繪製大壁畫。如今回過頭來看，他當時的日程緊湊到了極點，真叫人納悶他是怎麼撐過來的。這種狀況下，他還擠出時間遍覽神社寺院，參觀中世庭園，寫就了傳統論。

除了文字，書中配圖也是他親自拍攝的。

事出有因。他在一九五二年發表了繩文土器論，但刊登稿件的《水繪》（みづゑ）雜誌表示：「岡本老師雖然是藝術大家，但在攝影上終究是門外漢。我們好歹是美術雜誌，不能刊登外行拍的照片。」其實那時岡本太郎已經準備了一些照片，但編輯部還是請職業攝影師出馬拍了幾張。那些照片的確拍得很漂亮，光打得又均勻又到位。可他們拍的，並不是岡本太郎看到的東西。

「我要的不是這樣的照片！我根本不在乎什麼細節，而是要更突出立體感，讓它更逼真！」

於是編輯部請攝影師重拍，可惜職業攝影師拍的終究是漂亮的「攝影作品」。無奈雜誌有截稿期限，最後只能將就著用。

岡本太郎痛感，不能用別人拍的照片，這樣無法傳達自己真正看到的東西，和想要突出的感受。

所以編撰本書時，無論是繩文土器、土偶還是中世庭園，除參考照片之外，每一張都由岡本太郎從自己拍攝的底片中精心挑選。他還在序言中明確寫道：「為了更加明確地佐證我的觀點，並一以貫之，書中的土器、銅器和庭園照片都選自本人拍攝的作品。」可能有人覺得書裡用的配圖沒必要這麼考究，但我認為這些照片反而證明了岡本太郎擺在各位面前的這本《日本的傳統》的性質，它和打著傳統旗號、重重壓在大家頭上的那些教條模式化的常識迥異。可見本書的革命色彩何等濃重。

換言之，這本書不是古代美術作品的解說，也不是為了讚美它們誕生的。「日本以前有過這樣好的東西。瞧，它們多棒啊，多漂亮啊！」——這當然不是本書的主旨。擋在充滿激情的年輕日本面前的，是因循守舊的傳統主義。本書有如一場徹底顛覆傳統主義的恐怖襲擊，將其比喻成炸彈也不為過。

岡本太郎創作這本書時，還沒什麼人會去庭園參觀。哪裡的庭園都是靜悄悄的，打理得也不太好。但這略顯荒廢的氛圍，反而加強了自然的淒愴，激發了他的熱情。

除了京都及周邊，他還去了小泉的慈光院、中將姬的當麻寺、越前朝倉府湯殿遺址等地，積極參觀各處的景致。

岡本太郎審視庭園的角度，與所謂的造園師、學者、風雅之士慣用的固定模式、規矩和文獻截然不同。他的視角前衛且現代，他的觀點是各個領域通用的犀利且高水準的技術論。在他之前，從沒有人從這種角度分析過庭園。他的切入點是全新的，一針見血。

而且，岡本太郎的行文風格非常細膩，兼具情理。將犀利的觀點溫柔地包裹起來，讓讀者看得很舒暢。此書的說服力，只能用「卓越」二字來形容。

岡本太郎的繩文土器論澈底改變了日本人看待歷史的態度，相較之下，他的庭園論就沒有那麼深入人心了。這主要是因為普通人很少有機會仔細觀察、揣摩庭園。雖然書裡的說明細緻而精準，但很少有人能切切實實地體會到。

因此，這顆炸彈成了埋在地裡的啞彈。人類藝術與自然親密接觸的睿智、哲學與方法論，以及現代能運用的技術都濃縮其中，只等有人把它點著的那一天。

今時今日，自然等大環境正逐漸引起人們的注意，演變成愈發重要的課題。在時代的潮流下，岡本太郎的庭園論一定會逐漸被世人解讀，影響力也會與日俱增。

我會密切關注這股浪潮的發展。

岡本太郎紀念館館長　岡本敏子

日本的傳統

日本の伝統

作者　岡本太郎
譯者　曹逸冰
總編輯　周易正
責任編輯　蔡鈺淩
封面、圖文頁設計　林秦華
版型設計　林昕怡
行銷企劃　毛志翔、侯詠綺、陳姿華
印刷　崎威彩藝

定價　380元
ISBN　978-986-99457-1-4
2020年11月 初版一刷

出版者　行人文化實驗室（行人股份有限公司）
發行人　廖美立
地址　10074 台北市中正區南昌路一段49號2樓
電話　+886-2-37652655
傳真　+886-2-37652660
網址　http://flaneur.tw/

總經銷　大和書報圖書股份有限公司
電話　+886-2-8990-2588

日本的傳統 / 岡本太郎作 ; 曹逸冰譯. -- 初版. --
臺北市 : 行人文化實驗室, 2020.11
264 面 ; 14.8 x 21 公分

譯自 : 日本の伝統
ISBN 978-986-99457-1-4(平裝)

1. 藝術史 2. 傳統藝術 3. 文化 4. 日本

909.31 109014887

國家圖書館出版品預行編目資料